LAURA GALLEGO GARCÍA

CRÓNICAS DE LA TORRE

FENRIS, EL ELFO

sm

fundación sm

La Fundación SM destina los beneficios de las empresas SM a programas culturales y educativos, con especial atención a los colectivos más desfavorecidos.

Si quieres saber más sobre los programas de la Fundación SM, entra en
www.fundacion–sm.org

LITERATURA**SM**•COM

Primera edición: febrero de 2010
Decimonovena edición: agosto de 2021

Gerencia editorial: Berta Márquez
Gerencia de diseño: Lara Peces
Cubierta: Jean-Sébastien Rossbach

© Laura Gallego García, 2002
  www.lauragallego.com
© Ediciones SM, 2010
  Impresores, 2
  Parque Empresarial Prado del Espino
  28660 Boadilla del Monte (Madrid)
  www.grupo-sm.com

ISBN: 978-84-675-3970-7
Depósito legal: M-42809-2010
Impreso en la UE / *Printed in EU*

*Este libro está dedicado en primer lugar
a mi madre, que me pidió
que escribiera esta historia.*

*También, por supuesto, a los chicos y chicas
del Club de Fans de Fenris.
Gracias por vuestro cariño y entusiasmo;
espero que esta novela no os decepcione.*

*Que los lobos aúllen por vosotros
las noches de luna llena.*

El duelo con la bestia solo puede acabar cuando uno de los dos consiga la victoria sobre el otro. Él volverá a aparecer. Esa próxima vez, trata de llevar la lucha hasta el final. De lo contrario, su fantasma será tu preocupación por el resto de tu vida.

PAULO COELHO, *Diario de un mago*

PRÓLOGO

PLENILUNIO

UN AULLIDO RASGÓ LA NOCHE y, como un agónico lamento, se elevó hacia la luna llena que presidía el cielo estrellado. Un aullido estremecedor, que parecía cargado de tristeza, miedo, dolor y odio.

El extranjero se detuvo al oírlo y lo escuchó con atención, como si pudiera comprender su mensaje. Había sonado muy cerca, pero esto no pareció asustarle. Cuando la voz de la criatura se extinguió, el hombre sonrió levemente y, alzando el farol en alto, se desvió de su camino para acudir a su encuentro.

Sabía que era un intruso en aquella tierra salvaje, pero había atravesado las montañas sin prestar atención a las advertencias que traían los aullidos de los lobos.

Aquel, sin embargo, era diferente, y el extranjero lo sabía. Y, aunque el tenebroso lamento no volvió a repetirse, esto tampoco pareció importarle.

Intuía la presencia de la criatura acechando en la penumbra, pero nada en su actitud demostraba que la hubiese detectado. Y cuando, finalmente, el lobo saltó sobre él con un gruñido de triunfo y los ojos ardiendo como carbones encendidos, el extranjero reaccionó con calma, rapidez y precisión, alzando las manos y pronunciando unas palabras en un lenguaje arcano, vedado a la mayoría de los mortales.

Hubo un fogonazo de luz y un gañido de dolor, y el enorme lobo se vio lanzado hacia atrás y cayó al suelo. Aún trató de incorporarse y plantó cara al hombre, gruñendo amenazadoramente. Pero la descarga se repitió, y el lobo aulló de dolor y se derrumbó en el suelo, inconsciente.

El extranjero permaneció quieto durante unos instantes, observando a la criatura con una mezcla de curiosidad y fascinación. Cuando, por fin, se aproximó unos pasos, la temblorosa luz del farol no iluminó el cuerpo de una bestia, sino el de un joven esbelto, de enmarañado cabello castaño cobrizo. Yacía boca abajo sobre la hierba, desnudo, pero el desconocido pudo ver su rostro. Asintió, como si lo hubiera esperado, pero frunció el ceño al apreciar que la figura no era humana: los rasgos de su semblante eran demasiado delicados, sus ojos eran grandes y almendrados y sus orejas, que sobresalían entre los mechones cobrizos de su pelo, acababan en punta. A pesar de su aspecto salvaje y desaliñado, no lucía ni sombra de barba.

El extranjero se quitó la capa y cubrió con ella el cuerpo desnudo del elfo.

Después, se sentó a esperar.

Cuando el elfo abrió los ojos, una alegre y cálida hoguera crepitaba junto a él. Reaccionó deprisa; se puso en cuclillas y lanzó una hosca mirada a su acompañante, que lo contemplaba tranquilamente desde las profundidades de la capucha de su túnica gris. El elfo gruñó y se dispuso a saltar sobre él, pero el extranjero señaló el cielo con calma. El otro miró en la dirección indicada y solo vio la luna llena, blanca, redondeada, perfecta. Instintivamente, gimió y se cubrió el rostro con los brazos, tratando de protegerse de su suave resplandor. Sin embargo, se detuvo de pronto y contempló sus brazos sin vello, sus manos que no eran garras, sus dedos, finos y largos.

El extranjero sonrió al verlo mirar, incrédulo, la luna llena y sus propias manos, una y otra vez.

—Verás, el conjuro no durará mucho —dijo con suavidad, sobresaltando al elfo, que se volvió de forma cautelosa para mirarlo—. No tardarás en volver a ser un lobo, así que espero que tengamos tiempo de mantener... una civilizada charla.

El elfo lo miró largo rato, tratando de comprender lo que estaba sucediendo.

—¿Quién eres? —preguntó al fin.

—Me has atacado en la oscuridad y te he devuelto tu forma élfica —replicó el otro secamente—. Creo que me corresponde a mí hacer las preguntas: ¿quién eres tú?

El elfo alzó la cabeza. El fuego se reflejaba en sus grandes ojos ambarinos, que nada tenían de humanos. Aunque no podía ver el rostro del extranjero, sabía que estaba sosteniendo su mirada. Finalmente, bajó de nuevo la cabeza y exhaló un ligero suspiro.

—Me llaman Fenris —dijo; su voz era agradable y melodiosa como la de todos los elfos, pero había en ella cierto tono amenazador y salvaje—. Y soy un licántropo.

—Ya lo había notado —observó el extranjero—. No sabía que los elfos pudierais padecer la licantropía.

—Me has devuelto mi verdadera forma —replicó Fenris—. ¿Se ha roto la maldición?

—Me temo que no. Como te he dicho, se trata de un conjuro de duración limitada. Solo te protegerá temporalmente de los efectos de la luna llena. Tres horas, probablemente; aunque para entonces ya estará a punto de amanecer.

—Eres un mago —comprendió el elfo.

El humano asintió.

—Y creo que puedo ayudarte.

En la mirada de Fenris apareció un brillo de desconfianza.

—He conocido a otros magos. Ninguno pudo ayudarme. Además, nadie ofrece nada a cambio de nada.

—En eso tienes razón —admitió el mago—. Tengo una oferta que hacerte, y sospecho que te interesará, pues ambos podemos salir beneficiados. Pero antes necesito comprobar que realmente eres el tipo de persona que estoy buscando.

Ahora fue Fenris quien permaneció en silencio, pero su mirada hosca y suspicaz fue lo bastante elocuente.

—Necesito saber quién eres, de dónde vienes y cómo has llegado hasta aquí.

El elfo dejó escapar una seca carcajada que sonó casi como un ladrido. El mago sonrió.

—¿O prefieres que deshaga el hechizo para que puedas volver a rondar por aquí como un lobo hambriento? No muy lejos, junto al río, hay una hacienda donde viven dos niños sanos y rollizos. ¿Te dirigías hacia allí cuando saltaste sobre mí para devorarme?

Fenris palideció y se estremeció violentamente.

—Intuyo que prefieres charlar —comentó el mago.

Sin embargo, el elfo no dijo nada.

—Sé por tu mirada que has matado antes, joven elfo —insistió el hechicero—. Sangre inocente, ¿verdad? No puedes controlar al lobo las noches de luna llena y te horroriza convertirte en una bestia, pero no tienes valor para poner fin a tu vida. Yo puedo rescatarte de todo esto.

Fenris le disparó una mirada llena de antipatía y se envolvió en la capa; se dio cuenta entonces de que se trataba de la capa del mago, y de que esta era la única prenda que lo cubría. No obstante, eso no pareció importarle.

—Pero estábamos hablando de tu pasado, querido amigo —prosiguió el mago—. Ibas a contarme cómo has llegado hasta aquí.

—¿Quién quiere saberlo? ¿Un hombre que oculta su rostro? —replicó el elfo, de mal humor.

El mago rió con suavidad y se retiró la capucha. Las llamas iluminaron las facciones de un hombre de mediana edad que, sin embargo, parecía consumido prematuramente. Su cabello gris caía a ambos lados de su rostro seco de finos labios, nariz recta y ojos oscuros, alentados por un extraño brillo febril.

—¿Satisfecho..., Fenris? —sonrió el mago—. Un nombre curioso para un elfo.

—Hace mucho que ya nadie me llama por mi verdadero nombre —murmuró el elfo, contemplando el fuego, pensativo—. El nombre que me pusieron mis padres cuando nací, hace ciento cuarenta y cuatro años.

Un lobo aulló en la lejanía, pero ninguno de los dos le prestó atención. Inmerso en los recuerdos del pasado, Fenris el elfo empezó a relatar su historia.

I

EL ATAQUE

EL SONIDO DE UN CUERNO se extendió sobre las copas de los árboles y ascendió hacia la luna llena que brillaba majestuosa en el cielo nocturno. Los Centinelas se apresuraron a colocarse en sus puestos y cargaron los arcos. El Paso del Sur, uno de los pocos accesos al Reino de los Elfos, estaba siendo atacado.

No era sencillo entrar en la tierra de los elfos, rodeada por lo que llamaban el Anillo, un círculo de frondoso e intrincado bosque, casi impenetrable, que la protegía de los extraños. Los Centinelas, encargados de vigilar aquella frontera vegetal, eran elfos medio silvestres que se movían con más comodidad en lo más profundo del bosque que en las elegantes ciudades élficas del corazón de su tierra. Si bien los demás elfos los consideraban salvajes y poco refinados para tratarse de elfos, sabían también que nadie conocía el Anillo como ellos, y que podían estar seguros de que su reino seguiría a salvo mientras la mirada vigilante de los Centinelas todo lo abarcara.

Aquella noche, el peligro era muy concreto. Corrían tiempos de escasez, y las tierras que rodeaban el Reino de los Elfos se habían agostado. Muchos animales habían acudido a refugiarse al frondoso bosque-frontera, que conservaba su frescura y su exuberancia gracias a los cuidados de los brujos y los druidas, y todos ellos habían sido bienvenidos. Sin embargo, los Centinelas tenían orden de no dejar pasar a ningún humano, a no ser que trajese un salvoconducto firmado por el Rey de los Elfos.

Pero no eran del todo humanos, ni tampoco exactamente animales, los que aquella noche trataban de asaltar el Paso del Sur, un desfiladero que abría una brecha en el Anillo y llevaba hasta un sendero que conducía al corazón del Reino. Estaba defendido por un baluarte compuesto por dos fuertes pero elegantes torreones, entre los cuales había un portón cerrado que los Centinelas vigilaban celosamente. Eilai, una joven Centinela de ojos ambarinos y largo cabello color miel, escrutaba el horizonte desde las almenas, con su arco a punto. Una veintena de sombras oscuras corría hacia ellos, ladrando y aullando.

—¿Es que no se rinden nunca? —murmuró, irritada.

A su lado, Anthor frunció el ceño.

—¡Licántropos! —escupió con desagrado—. Los detesto.

Los licántropos eran personas que podían transformarse en animales, pero en la mayoría de los casos la palabra se refería a los hombres-lobo. Era una anomalía que no se daba entre los elfos, y estos, que despreciaban a los humanos por considerarlos inferiores a ellos, no solían emplear la expresión «hombre-lobo», puesto que la encontraban ciertamente insultante para los lobos.

Eilai no respondió. Aquellas criaturas llevaban ya tiempo tratando de entrar en el Reino de los Elfos. El mes anterior se habían dividido y habían intentado penetrar en el Anillo por distintos frentes y por separado, ya que el intrincado bosque no permitía que entrasen todos a la vez. Los Centinelas, dueños y señores del Anillo, habían repelido el ataque, pero aquellos seres eran difíciles de matar, y ahora, un mes después, volvían a la carga empleando la estrategia contraria: un ataque frontal contra uno de los accesos principales del reino.

Los atacantes se acercaban. Anthor y Eilai tensaron sus arcos todavía más, pero no dispararon hasta que el Capitán dio la orden. Entonces, una lluvia de flechas cayó sobre los asaltantes, un grupo de enormes lobos que ya estaban a punto de cargar contra la puerta. Todas las saetas dieron en el blanco, pero las criaturas no las notaron más que si se tratase de simples picaduras de mosquito.

—¡Al corazón! —oyeron gritar al Capitán—. ¡Es la única manera de matarlos!

—No es la única —murmuró alguien en voz baja.

Eilai comprendió por qué lo decía. Los hombreslobo eran físicamente muy fuertes, y la gran capacidad de regeneración de su cuerpo los hacía casi invulnerables, por lo que la única forma de acabar con ellos era acertar directamente en el corazón, produciéndoles una herida de la que no pudieran recobrarse. Sin embargo, la leyenda afirmaba que también la plata era mortal para aquellos seres. Pero, fuera cierto o no, equipar a los Centinelas con armas de hoja de plata era un gasto demasiado elevado que el Rey no estaba dispuesto a asumir.

Volvió a sonar la señal, y los Centinelas dispararon de nuevo. Solo un hombre-lobo cayó, abatido por una flecha que le atravesó el corazón, y comenzó a transformarse rápidamente en un ser humano.

—Así no vamos a detenerlos —dijo Anthor, cargando el arco de nuevo—. No podemos acertarles en el corazón desde aquí arriba.

—Deberíamos bajar a defender la puerta —opinó Eilai, disparando cuando sonó otra vez la señal.

Un sonido de astillas rotas le dio la razón. Los licántropos habían llegado hasta la puerta y cargaban contra ella. Sus enormes garras rascaban la madera con furia y ya habían logrado abrir un par de boquetes.

—Sí —dijo Anthor—. No aguantarán mucho tiempo ahí abajo.

También el Capitán se había dado cuenta. Ordenó a la mitad de sus Centinelas que bajaran a asegurar la puerta, mientras los mejores tiradores se quedaban en las almenas. Eilai vio que Anthor le decía algo al Capitán. Este asintió. Entonces, el Centinela se volvió hacia ella.

—Quédate aquí —le dijo—. No tardaré.

Eilai quiso llamarlo, pero la señal se oyó de nuevo y tuvo que disparar otra vez junto a los demás arqueros. En esta ocasión hubo más suerte, ya que algunos de los hombres-lobo se habían alzado sobre sus patas traseras para arremeter contra la puerta, dejando el pecho descubierto. Cayeron dos más.

Eilai cargó el arco otra vez, pero su aguda vista élfica percibió algo que se movía hacia el oeste en la oscuridad.

Su momentánea distracción le impidió disparar al mismo tiempo que los demás. Colocó una nueva flecha en la cuerda, sacudió la cabeza y se mordió el labio inferior, indecisa. Las sombras habían desaparecido, pero ella sabía perfectamente que las había visto.

Abajo, en el túnel que unía las dos puertas del baluarte, los Centinelas tenían problemas. Cuando Anthor y los demás llegaron, sus compañeros estaban empujando lo que quedaba de la puerta que daba al exterior. Pero la lucha parecía haberse decantado por el bando contrario. Enormes y terroríficas garras asomaban por los boquetes que habían abierto en la pesada puerta de madera, y al otro lado los gruñidos de los hombres-lobo venían cargados de odio, de muerte y de locura.

–¡No podremos resistir mucho más! –gritó alguien.

Apenas acababa de decirlo cuando la puerta cedió definitivamente y dos enormes lobos saltaron al interior del bastión, entre una nube de astillas. Uno de ellos se arrojó sobre el elfo más próximo. Sus compañeros le oyeron gritar un momento, y después...

El otro lobo, por el contrario, fue a encontrar la muerte a manos de un Centinela que le disparó a bocajarro en el último momento. A aquella distancia no podía fallar: la flecha se clavó en el corazón de la criatura.

Los elfos cargaron contra el primer lobo, pero había más entrando por la abertura. Anthor lanzó una flecha que se clavó en el cuello de uno de ellos; el licántropo se la sacudió de encima y siguió corriendo. Lanzando una maldición por lo bajo, Anthor dejó el arco a un lado y extrajo una daga de su cinto.

—Ojalá funcione —murmuró para sí mismo aprestándose a defenderse, mientras el lobo se abalanzaba sobre él.

Con un salvaje grito de guerra, Anthor alzó el puñal en alto y, cuando el cuerpo del enorme lobo cayó sobre él, le hundió la daga en el pecho. Y, a pesar de que no le acertó en el corazón, el lobo se retorció de dolor; Anthor vio que el filo de su daga estaba corroyendo la carne de la criatura, produciéndole una herida humeante, parecida a una quemadura de ácido. Sacó el arma del cuerpo del lobo y volvió a hundirla de nuevo, esta vez en el corazón.

Se sacudió de encima el cadáver del hombre-lobo, que volvía a metamorfosearse en hombre, y contempló su daga con sorpresa.

—¡Entonces, era verdad! —murmuró para sí.

Vio que sus compañeros tenían problemas. Seguían tratando de defender la puerta. Por fortuna, los licántropos solo podían entrar de dos en dos, pero eran enemigos formidables y varios elfos yacían muertos cerca de la entrada. Enarbolando su daga, Anthor se dispuso a reunirse con los resistentes, cuando alguien le cogió del brazo.

—¡Eilai! —exclamó el elfo al reconocerla—. ¿Qué haces aquí?

—He visto algo desde las almenas, Anthor. La manada se ha escindido. Un grupo se dirige hacia el oeste. Creo que van a intentar entrar en el bosque atravesando el río por el vado.

Anthor movió la cabeza, incrédulo.

—¿Una maniobra de distracción? No son tan inteligentes.

El rostro de Eilai era ahora de piedra.

—Eso fue lo que dijo el Capitán cuando se lo conté, pero yo sé muy bien lo que he visto. Y me ha dado la sensación de que estos tres sabían exactamente adónde iban.

Anthor frunció el ceño. Otro licántropo acababa de entrar por la abertura, y el elfo cargó su arco y disparó varias flechas seguidas. Eilai lo secundó.

—¿Insinúas que debemos acudir al vado? —dijo Anthor cuando el hombre-lobo cayó finalmente, abatido por una flecha de Eilai—. ¡Es aquí donde tenemos problemas!

—¿Es que no lo entiendes? ¡Todos los Centinelas de la frontera sur estamos concentrados en este lugar! Los otros accesos han quedado sin vigilancia.

—¡Pero no podemos acudir al vado! ¡Eso sería desobedecer las órdenes del Capitán!

—¡Él no ha visto cómo esos tres se separaban del grupo! Yo no pienso permitir que atraviesen la frontera, Anthor. Me voy a defender el vado; me da igual lo que pase después.

Eilai disparó un par de flechas más y retrocedió hasta la puerta que daba al Reino de los Elfos, y que los hombres-lobo todavía no habían alcanzado. Anthor alzó de nuevo su daga, pero vio por el rabillo del ojo cómo Eilai se deslizaba fuera del baluarte, dejando atrás la terrible batalla a muerte que se estaba desarrollando allí mismo, entre elfos y bestias. Anthor vaciló. Finalmente, soltó un juramento por lo bajo y la siguió.

La alcanzó ya en pleno bosque, pero no trató de detenerla. Sabía que las intuiciones de Eilai solían ser acertadas, de modo que se colocó a su lado con gesto hosco y la acompañó a través de la espesura en dirección al vado.

La pareja llegó al río un rato después y se ocultó entre los árboles. Ambos prepararon sus arcos y esperaron, con los músculos en tensión. Si, efectivamente, los licántropos trataban de entrar por allí, aunque los dos elfos eran excelentes tiradores, tal vez solo tendrían una oportunidad de cogerlos por sorpresa y acertarles en el corazón.

No tardaron mucho en distinguir tres pares de ojos brillando en la oscuridad, al otro lado del río. Eilai tensó la cuerda de su arco, pero Anthor le indicó con un gesto que aguardara un poco más.

Tres enormes lobos salieron de entre los árboles y se dirigieron a la orilla. El más grande, de color negro y con una oreja partida, parecía ser el líder. Se adelantó y husmeó en el aire, pero los dos elfos se habían asegurado de colocarse de manera que la brisa soplase hacia ellos, y el lobo no percibió su olor. Gruñó satisfecho y se inclinó para beber. Sus dos compañeros debían de tenerle mucho respeto, puesto que no se acercaron a beber hasta que el lobo negro hubo terminado.

Anthor y Eilai apuntaron a los dos más grandes. El líder se internó en el vado y alzó la cabeza.

Anthor bajó un poco el arco y frunció el ceño. El lobo negro parecía estar mirando en su dirección. Los había descubierto.

—¡Eilai, no! —susurró, pero era demasiado tarde.

La flecha salió disparada, cruzó silbando el río y fue a clavarse en el costado de uno de los lobos, que cayó al suelo con un gemido, mientras su cuerpo comenzaba a transformarse rápidamente. Eilai le había dado en el corazón.

Anthor disparó la suya, aun a sabiendas de que fallaría; el licántropo de la oreja partida la vio venir, de modo que la esquivó, saltando a un lado con un ladrido colérico. Los elfos cargaron de nuevo los arcos y dispararon su segunda flecha. Eilai acertó al tercer lobo en la pata; sin embargo, este apenas pareció sentir el impacto, y echó a correr hacia ellos, siguiendo a su líder. El lobo negro también había recibido un flechazo, pero siguió avanzando como si no lo hubiera notado. Ya sabía exactamente dónde estaban y corría a través del vado, con un brillo de locura asesina en su mirada. Eilai y su compañero dispararon más flechas, tratando de abatirle. Todas ellas se clavaron en el blanco, pero eso no detuvo a la criatura.

El lobo dio un salto y se perdió entre la espesura. Los dos elfos se incorporaron y, espalda contra espalda, miraron a su alrededor, inquietos, con las saetas colocadas en sus arcos y los músculos tensos. Ambos se habían dado cuenta de que se enfrentaban a un enemigo formidable y más inteligente de lo habitual.

—¿Dónde se ha metido? —susurró Anthor.

Eilai se estaba haciendo la misma pregunta.

Hubo un susurro y la sombra de un lobo saltó hacia ellos desde los matorrales. Los dos elfos se volvieron con la rapidez del relámpago y dispararon a la vez. Oyeron un gañido y el sonido de un cuerpo que caía. Anthor corrió para rematarlo. Eilai lo siguió.

La criatura se había transformado en un hombre desnudo, de cabello oscuro, sucio y desgreñado, y rostro taimado, ahora congelado para siempre en una mueca de dolor y sorpresa. Estaba muerto, pero Anthor se inclinó sobre él para asegurarse. Descubrió que aún tenía una flecha hundida en la pierna, aparte de aquella que le acababa de acertar en el corazón. Anthor frunció el ceño. Le habían clavado muchas otras flechas mientras cruzaba el vado. Su mirada se detuvo sobre sus pequeñas y redondeadas orejas, y se le congeló la sangre en las venas.

Ambas estaban enteras.

Se incorporó de un salto y se volvió hacia Eilai para avisarla.

Demasiado tarde. Con un ladrido de triunfo, el enorme lobo negro de la oreja partida saltó sobre ella desde la oscuridad. La elfa lanzó una exclamación de sorpresa y alzó los brazos de manera inconsciente para protegerse. La criatura cayó pesadamente sobre ella y su mandíbula se cerró sobre el antebrazo derecho de Eilai, que gritó de dolor. Ambos rodaron por el suelo. Los colmillos del lobo se cernieron ahora sobre el cuello de la Centinela.

Anthor corrió hacia ellos; tenía el arco preparado y, aunque no era sencillo acertar a un blanco en movimiento, disparó. La flecha se clavó en los cuartos traseros de la criatura, pero eso ni siquiera la distrajo. Eilai logró lanzarle una estocada con su cuchillo de caza, pero tenía el brazo herido y no le acertó en el corazón. Anthor maldijo por lo bajo, sacó su propio puñal y, con un grito salvaje, se arrojó sobre el lobo. Logró hundir la daga en su espalda, y en esta ocasión el licántropo lanzó un horrible alarido de dolor y se sacudió al elfo de encima, tratando de alejar de sí aquella arma que abrasaba su carne como ni siquiera el fuego lograba hacerlo. Anthor se puso en pie inmediatamente y se volvió hacia él, sosteniendo su puñal en alto. El lobo gruñó amenazadoramente, pero se apartó de Eilai, que esgrimía también su cuchillo dispuesta a utilizarlo, y a no fallar en esta ocasión.

Antes de desaparecer entre la espesura, el licántropo clavó en Anthor una mirada llena de odio, demasiado inteligente para ser animal y demasiado salvaje para ser humana.

Anthor no se movió. Había quedado paralizado momentáneamente por aquella mirada y supo, con total seguridad, que nunca lograría olvidarla.

En otras circunstancias habría ido en pos del hombrelobo hasta matarlo, pero Eilai estaba herida, y ambos sabían muy bien lo que ello significaba.

Los dos se quedaron inmóviles, pero el lobo no regresó. Anthor respiró hondo.

—Son repugnantes —dijo, evitando mirar el cuerpo del licántropo que había quedado tendido en el suelo.

Eilai no dijo nada. Anthor la ayudó a levantarse.

—Déjame ver esa daga —susurró ella; cuando Anthor se la tendió, Eilai la examinó a la luz de la luna llena—. Es de plata. ¿De dónde la has sacado?

—Una vieja herencia de familia.

—De modo que es cierto lo que dice la tradición... La plata les hace daño.

Ahora no es momento de pensar en eso, Eilai. Estás herida.

Ella asintió, pálida, y los dos se pusieron en marcha, de regreso al Paso del Sur. De camino oyeron los cuernos anunciando la victoria y supieron que el ataque había sido repelido. Pero ninguno de los dos sonrió.

—Con un poco de suerte, el brujo ya habrá llegado —murmuró Anthor, preocupado.

El brujo vivía en lo más profundo del bosque, pero sin duda había escuchado el aviso del cuerno, que revelaba también la naturaleza de los atacantes.

Llegaron por fin a la fortaleza, pero el Capitán les cerró el paso. Su rostro era una máscara de piedra.

—Exijo una explicación —dijo solamente.

Ambos se pusieron firmes. Anthor fue a contestar, pero Eilai se le adelantó.

—Fue culpa mía, Capitán. Vi desde las almenas que la manada se dividía. Pensé que el grupo trataría de entrar por el vado y convencí a Anthor de que me acompañara. Asumo toda la responsabilidad.

—Matamos a dos e hicimos huir al tercero —añadió Anthor.

El Capitán no dijo nada, pero sus ojos almendrados se entrecerraron. Acababa de descubrir que la joven Centinela estaba herida.

—La han mordido, señor —dijo Anthor.

El Capitán, sin decir una palabra, se dio la vuelta y echó a andar hacia el baluarte, consciente de que el tiempo apremiaba. Anthor y Eilai lo siguieron.

Al pie de la torre los aguardaba un elfo de cabello blanco, algo más bajo que los demás. Cubría su cuerpo con un manto de color verde y se apoyaba en un bastón del que colgaban diversos abalorios. Sus ojos rojizos se clavaron en el brazo sangrante de Eilai, y frunció el ceño con gravedad.

La elfa fue conducida a una habitación del segundo piso. El brujo entró con ella y la puerta se cerró para los demás.

Anthor aguardó fuera durante largo rato. La espera se le antojó eterna, pero, cuando comenzaba a temerse lo peor, el brujo salió de la habitación y lo miró fijamente.

—Eres su esposo, ¿no?

—Sí.

Anthor enrojeció levemente. Llevaban muy poco tiempo casados y todavía no se había acostumbrado. El brujo le dirigió una extraña mirada.

—Entra.

Inquieto, Anthor lo siguió hasta el interior de la habitación. Eilai dormía sobre un camastro. Su brazo había sido cuidadosamente vendado, y en la gasa podía apreciarse una mancha pardusca, producto sin duda de algún ungüento que el brujo había aplicado sobre la herida. El cabello rubio de la Centinela, ahora suelto, caía en ondas sobre la almohada. Su rostro estaba pálido y cubierto de sudor, pero su expresión era tranquila.

—No perderá el brazo —aseguró el brujo—. Aunque tardará años en volver a disparar como antes. Sin embargo...

Hizo una pausa y lo miró con gravedad.

—¿Qué ocurre? —preguntó Anthor, nervioso—. No vas a decirme que se convertirá en una de ellos, ¿verdad? ¡A los elfos no nos afecta esa repugnante enfermedad!

—No nos afecta —concedió el brujo— porque hace muchos milenios que conocemos una cura, la cual resulta completamente efectiva cuando se aplica a tiempo y la víctima no es un elfo especialmente débil. Tu esposa no se transformará, Centinela.

Anthor respiró, aliviado. Sin embargo, algo en el rostro del brujo lo inquietó de nuevo.

—No obstante —prosiguió este—, nada podemos hacer cuando se trata de víctimas enfermas o de niños muy pequeños. Sus cuerpos no tienen fuerzas para repeler la infección, y en la mayoría de los casos el antídoto no es efectivo.

Anthor lo miró, preguntándose adónde quería llegar. El brujo posó delicadamente su mano sobre la frente húmeda de Eilai.

—¿Sabías que tu esposa está embarazada, Centinela? —preguntó con suavidad.

Anthor sintió que el corazón se le paraba por un instante. Aquella revelación lo golpeó como una maza, y tardó un poco en reaccionar. Las implicaciones de las palabras del brujo eran tan aterradoras que decidió aferrarse a su última posibilidad.

No... no es posible, brujo. Me lo habría dicho.

—Sospecho que ni siquiera ella lo sabía todavía.

«Entonces, ¿cómo te has enterado tú?», quiso preguntar Anthor, pero no lo hizo. Nadie sabía más que los brujos acerca de los secretos del mundo natural, de la vida y de la muerte. Quiso decir algo, pero no encontró palabras.

—Os daría la enhorabuena —añadió el brujo con gravedad—, pero no sé si sería lo apropiado, dadas las circunstancias.

Anthor se dejó caer sobre una silla y, desolado, enterró el rostro entre las manos.

—¿Quieres decir... que mi hijo será un monstruo?

—Oh, no —sonrió el brujo—. De hecho, me atrevería a decir que será una criatura muy hermosa, dada la apostura de sus padres.

—Pero...

—Pero existen muchas posibilidades de que, al llegar a la adolescencia, comience a transformarse en lobo las noches de luna llena.

Anthor cerró los ojos. «Esto no puede estar pasando», pensó. «Simplemente es producto de una pesadilla...».

—Comprendo que, para una pareja joven como vosotros, tener semejante vástago sería una carga. Si no queréis correr riesgos, conozco a una mujer humana que puede ayudaros.

Anthor alzó la cabeza y lo miró con una llama de esperanza en sus ojos de color violáceo, pero no pudo evitar fruncir el ceño y preguntar, no obstante:

—¿Has dicho una humana?

—Oh, sí, pero ella no hace distinciones entre razas cuando se trata de dinero. Serán apenas unas horas y podréis libraros de la criatura antes de que nadie se percate de que tu esposa está embarazada.

Anthor palideció.

—¿Estás sugiriendo... que nos libremos del bebé antes de que nazca?

—Podéis hacerlo después, si os resulta más sencillo —replicó el brujo, indiferente, encogiéndose de hombros—. Pero lo dudo: sois muy jóvenes y este será vuestro primer hijo. No tendréis valor para matarlo o abandonarlo si lo miráis a los ojos una sola vez.

Anthor sintió que la cabeza le daba vueltas. Todo aquello era demasiado espantoso para ser verdad. Miró a su esposa dormida y trató de imaginarse cuál sería la respuesta de ella. Tuvo una visión fugaz de un bebé con los rasgos de Eilai, sus ojos color ámbar, aquella sesgada sonrisa suya que él había aprendido a amar.

El brujo vio que vacilaba.

—¿Qué sabes de los licántropos, Centinela? —le preguntó.

Anthor frunció el ceño.

—Poca cosa —reconoció—. Son violentos y salvajes y se transforman en lobos las noches de luna llena. La plata es mortal para ellos. Devoran todo ser viviente que encuentran en su camino y...

No fue capaz de decir nada más, y el brujo lo notó.

—Te diré lo que yo sé —dijo con suavidad—. Son bestias salvajes una noche de cada mes. Y son personas normales el resto del tiempo. Humanos. Elfos. Qué más da. Todos tenemos un mal día. Ellos tienen doce días pésimos al año.

Anthor reflexionó.

—Podríamos encerrarlo las noches de luna llena —aventuró—. Además... también existe una pequeña posibilidad de que la mordedura no lo haya afectado, ¿no es así? —preguntó con cierta ansiedad.

—Mínima —replicó el brujo—, pero sí, existe.

Anthor exhaló un suspiro de alivio.

—¿Estás dispuesto a dejar vivir a esa criatura? —preguntó el brujo—. ¿Eres consciente de lo que será su vida? Si lo descubren, lo matarán. Y, aun en el caso de que no lo descubrieran, pasará siglos ocultándose de sus congéneres las noches de luna llena. ¿A eso lo llamarías vivir?

—Es mejor que estar muerto —replicó Anthor, aunque sin mucha convicción—. No lo entiendo, brujo, ¿qué pretendes? ¿Qué es lo que quieres que haga?

—Lo que hagas será únicamente elección tuya. Pero es mi deber asegurarme de que consideras las consecuencias de todas las posibilidades antes de decidir. Y hay otra cosa que debes saber.

—¿Qué?

—Se dice que algunos licántropos, los llamados Señores de los Lobos, pueden aprender a controlar sus cambios. Se requieren, sin embargo, siglos de dominio personal y autocontrol, por lo que esta habilidad generalmente no está al alcance de los hombres-lobo corrientes. Pero sí de algunos elfos.

Anthor sacudió la cabeza.

—No existen elfos licántropos. No puedes saberlo.

—Si existen, serán solo un puñado en todo el mundo. Pero no seré yo quien vaya a buscar a esos legendarios Señores de los Lobos y, desde luego, tu hijo tampoco debe hacerlo.

—¿Por qué no?

Los ojos del brujo brillaron de manera siniestra.

—Si un licántropo se transforma en una bestia asesina una vez al mes… ¿qué clase de criatura sería alguien que tuviese la capacidad de hacerlo en cualquier momento?

Anthor calló, reflexionando sobre las palabras del brujo.

—¿Y bien? —preguntó este tras un largo silencio.

El Centinela pensó qué sería de su hijo si lo alcanzaba la maldición de la licantropía. Se verían obligados a encerrarlo una vez al mes y a mantenerlo alejado de los demás elfos, por lo que pudiera pasar. Jamás podría llevar una vida normal.

Pero un licántropo era una persona la mayor parte del tiempo.

Eran solo doce días al año.

Doce días.

Anthor contempló una vez más el sereno rostro de Eilai. Lo consultaría con ella antes de tomar una decisión definitiva, pero ya sospechaba cuál iba a ser su respuesta.

—El niño vivirá —dijo.

II

EL HIJO DEL CENTINELA

EL NIÑO NACIÓ y tenía los ojos ambarinos de su madre. Era un bebé hermoso y saludable, y todos felicitaron a Anthor y Eilai por ello. Pero solo ellos apreciaron en la criatura pequeños detalles que resultaban inquietantes, como el extraño brillo de sus ojos bajo la luz del atardecer, o el hecho de que su cabello castaño rojizo no creciera lacio como el de los otros elfos, sino rebelde y desordenado, como si estuviera siempre despeinado.

Pasó la primera luna llena, sin novedad; y, pese a que el brujo les había advertido de que probablemente la licantropía no se manifestaría hasta la adolescencia, los padres respiraron aliviados.

Solo entonces le pusieron nombre.

Lo llamaron Ankris.

Como hijo de Centinelas que era, su hogar estaba en el bosque, lejos de los altos palacios de oro y cristal que se alzaban en el corazón del Reino de los Elfos. Pero pronto quedó claro que Ankris era, si cabe, mucho más salvaje y solitario que cualquier otro Centinela. Sus primeras décadas de vida las pasó deambulando solo por el bosque y apenas frecuentaba la compañía de los demás elfos. A sus padres no les molestaba que esto fuera así. Parecían pensar que, cuanto menos se acostumbrara Ankris a la compañía, menos problemas tendría en su vida adulta si llegaba a padecer la maldición de la licantropía.

Para cuando cumplió los cuarenta años, pocos Centinelas conocían realmente al hijo de Anthor y Eilai, y absolutamente ninguno de ellos habría sido capaz de encontrarlo en el bosque si él no quería dejarse encontrar.

Sus habilidades llamaron la atención del Capitán, quien un día sugirió a Anthor que Ankris ya tenía edad para ingresar en la Escuela de Centinelas.

—Con todos mis respetos, mi Capitán... —titubeó Anthor—. No estamos seguros de que Ankris desee ser Centinela.

—Tonterías. Es tradición que los hijos sigan los pasos de sus padres. Mi Toh-Ril es el mejor de su clase —añadió, con mal disimulado orgullo—. Por otro lado, tu hijo se mueve por el bosque con una soltura envidiable y un sigilo que da escalofríos. Sería una lástima desperdiciar su talento.

Le recordó que una semana más tarde tendría lugar la ceremonia de investidura de tres nuevos Centinelas.

—Tú y Eilai deberíais asistir —dijo—. Y también tu chico.

Cuando Anthor se lo dijo, Eilai no lo consideró una buena idea. Estaba educando a su hijo para que se mantuviese alejado de los demás elfos, y no estaba segura de que Ankris supiera comportarse en un acto social de aquel calibre.

Durante la ceremonia quedó claro que Eilai no andaba muy desencaminada. El niño no se sentía a gusto con su traje nuevo, y daba la sensación de que reprimía el impulso de sacudir la cabeza para desordenar de nuevo sus cabellos, cuidadosamente peinados hacia atrás y pegados a la cabeza. Observaba con cierta cautela y desconfianza a todo aquel que se acercaba, y dirigía frecuentes miradas al bosque, deseando sin duda correr a ocultarse de nuevo entre los árboles.

Con todo, se portó bastante bien.

Además, el Capitán tenía razón. A partir de aquel día, el niño deseó con todas sus fuerzas ser un Centinela, como sus padres. Pero no se debió a nada que viera en la larga y aburrida ceremonia, sino a algo que sucedió después.

Ankris salía con sus padres de la fortaleza, considerablemente aliviado, cuando le llamó la atención un lujoso carruaje que se había detenido ante la puerta que cerraba el Paso, esperando que esta se abriese para abandonar el Reino de los Elfos.

Solían entrar y salir muchos carros y jinetes a través del Paso del Sur; Ankris los había visto antes, pero nunca había tenido la oportunidad de contemplar un carruaje tan grande y tan de cerca, de modo que lo observó con curiosidad.

Entonces la cortina de raso que cubría una de las ventanillas se retiró para dar paso a unos ojos color zafiro que se detuvieron en él un breve instante.

Ankris tragó saliva. La dueña de aquellos ojos era una niña de su edad, de piel de porcelana y elegantes cejas arqueadas. Su cabello castaño estaba primorosamente recogido hacia atrás y adornado con pequeñas joyas refulgentes como estrellas. Lo único que enturbiaba su belleza era un cierto mohín de tedio y desdén que torcía ligeramente su boca.

Ankris no advirtió este último detalle. Aquel rostro era lo más hermoso que había visto nunca.

Los ojos de la elfa no se quedaron mirándolo, sin embargo, sino que recorrieron el grupo de Centinelas con un cierto interés.

—¡Shi-Mae! —dijo entonces una voz severa procedente del interior del carro; la niña suspiró, y la cortina se cerró de nuevo, ocultando su rostro de ojos de zafiro.

«Se llama Shi-Mae», pensó Ankris, sonriendo estúpidamente.

Echó a correr tras el carro. Su padre trató de atraparlo, pero no lo consiguió. Ankris esquivó, igualmente, a uno de los Centinelas que vigilaban la puerta, pero el otro logró retenerlo. El niño se debatió inútilmente, mientras observaba, impotente, cómo el carruaje se alejaba del Reino de los Elfos.

—¿Adónde va? —exigió saber—. ¿Adónde se la llevan?

—Eso no es asunto tuyo, jovencito.

—Dejadme hablar con él —dijo entonces una voz.

Ankris se volvió con curiosidad. Tras él se hallaba el brujo, que se aproximaba apoyándose en su bastón. Ankris lo había visto a menudo mientras exploraba el bosque, aunque sospechaba que en tales ocasiones el brujo nunca había llegado a percatarse de su presencia.

Se sintió inquieto, sin embargo. Nunca se había encontrado con él cara a cara y, además, cuando sus padres hablaban del brujo siempre lo hacían en susurros para que él no pudiera escucharlos, a la vez que aparecía en sus rostros una sombra de preocupación.

—De modo que tú eres el joven hijo de Anthor y Eilai —comentó el brujo.

Ankris no respondió, pero lo miró desafiante. La carrera había alborotado de nuevo su cabello y el forcejeo con los guardias le había desbaratado el elegante traje. Además, había perdido un zapato por el camino y ya tenía los pies llenos de barro.

—Acércate —dijo el brujo.

Ankris vaciló. Su interlocutor dio media vuelta para alejarse un poco de los guardias, y el niño optó finalmente por seguirle.

—No volverás a verla en mucho tiempo —dijo entonces el brujo en voz baja.

El corazón de Ankris dio un vuelco.

—¿Por qué? ¿Adónde va?

El brujo echó un rápido vistazo a las puertas cerradas del Paso del Sur.

—Se llama Shi-Mae y es la heredera de la Casa Ducal del Río. Está emparentada con la realeza.

»Probablemente no lo sepas, lobezno, pero el Reino de los Elfos pasa por una delicada situación política. El Rey no nos ha dado aún un heredero y muchos nobles se disputan el poder. El padre de Shi-Mae la envía a estudiar lejos de nuestro reino para salvarle la vida, porque corre sangre real por las venas de esa niña, y la Casa del Río aspira a ocupar el trono algún día.

Ankris solo retuvo una cosa del largo parlamento del brujo: que Shi-Mae se marchaba lejos porque su vida corría peligro.

—Pero, ¿adónde va?

—A una Escuela de Alta Hechicería situada en un reino lejano. Mi pequeño lobezno, esa muchacha posee el don de la magia, pero su padre no se atreve a ingresarla en la Escuela del Bosque Dorado, que se encuentra en nuestro reino. Demasiados jóvenes de la alta nobleza están muriendo en extrañas circunstancias en estos días difíciles.

—¿Entonces, no volverá? —preguntó Ankris, desilusionado.

—Sí, volverá algún día. Pero para entonces ya la habrás olvidado. Porque... verás, lobezno, las doncellas de alta cuna no se fijan en los elfos salvajes como tú. Ella se casará con algún aristócrata importante. Y, si su padre juega bien sus cartas y nuestro rey sigue sin tener hijos, Shi-Mae podría llegar a ser nuestra reina algún día.

Ankris no dijo nada, pero un destello de rebeldía iluminó su mirada. El brujo echó un vistazo a Anthor y Eilai, que, inquietos, aguardaban un poco más lejos, sin atreverse a acercarse.

—Tus padres te esperan. Ve con ellos, lobezno.

Ankris dio unos pasos y luego se detuvo para mirar al brujo.

—¿Por qué me llamas así?

—Lo comprenderás dentro de algunas décadas, pequeño —respondió el brujo misteriosamente—. Y cuando lo hagas... ven a verme.

Ankris lo miró con curiosidad, se encogió de hombros, se despidió de él con un gesto y regresó con sus padres.

—No lo olvides... —susurró el brujo, aun sabiendo que el niño ya no podía escucharlo—. Cuando el lobo despierte, pequeño hijo del bosque..., ven a verme.

Shi-Mae volvería algún día. Y las doncellas de alta cuna no se fijan en los elfos salvajes.

Con esta idea en la mente, Ankris empezó a asistir regularmente a la Escuela de Centinelas. O, al menos, eso creía él. Se dejaba caer de vez en cuando por las clases y, cuando le explicaron que debía estar allí todos los días, mañana y tarde, quedó tan horrorizado que no apareció por la escuela en tres semanas. Después, volvió a presentarse, aparentemente dispuesto a seguir las normas, e intentó acudir diariamente.

La cosa quedó en el intento. Ankris seguía faltando mucho porque no podía evitarlo, pero, poco a poco, a trompicones, iba aprendiendo algunas cosas: a manejar el arco, a utilizar el lenguaje secreto de señas de los Centinelas, a seguir rastros, a enfrentarse a un adversario cuerpo a cuerpo, con puñal o sin él... Pero también aprendía historia, geografía, botánica, zoología, gramática...

Debido a sus frecuentes ausencias, Ankris iba muchísimo más retrasado que sus compañeros en casi todo; pero, pese a que recibió más de una reprimenda, no se le expulsó de la escuela. Se decía que el Capitán sentía cierta debilidad por él, y eso le granjeó antipatías entre sus compañeros; Toh-Ril, el hijo del Capitán, lo odiaba especialmente y no hacía nada por ocultarlo.

En el fondo todos envidiaban no solo la libertad de que gozaba Ankris, sino también su capacidad para fundirse con el bosque y moverse por él siendo casi completamente invisible. Conocía el terreno palmo a palmo sin necesidad de aprenderse aburridos planos y también era capaz de distinguir una planta medicinal de otra venenosa o de otra simplemente comestible, aunque no supiera llamarlas por su nombre. Sabía orientarse bajo las estrellas sin haber estudiado los nombres de las constelaciones y trepaba a los árboles más rápido que ninguno.

Por todas estas cosas, el Capitán lo consideraba uno de los elementos más valiosos de su escuela. Pero no todos compartían su afecto por Ankris.

A él no le importaba. La escuela lo había vuelto más sociable, pero no hasta el punto de preocuparse por lo que los demás pudieran pensar de él.

Y así, una noche, cuando regresaba a casa tras las clases, se encontró con una desagradable sorpresa en medio del bosque.

Toh-Ril y algunos de los chicos más grandes de la escuela lo estaban esperando.

—Hola, Ankris —dijo Toh-Ril, sonriendo de manera siniestra.

—¿Qué queréis? —preguntó él con cautela. Brillaba sobre ellos una fantástica luna llena y, fascinado por ella, el muchacho se había dejado sorprender tontamente. En otras circunstancias, los habría visto mucho antes de que ellos sospecharan siquiera que se acercaba.

—Solo sentía curiosidad —dijo Toh-Ril, encogiéndose de hombros—. Como eres tan bueno en todo, me preguntaba qué serías capaz de hacer si te atacaran cinco elfos a la vez.

Los cinco comenzaron a rodearlo. Ankris no supo muy bien cómo reaccionar.

—¿Haces esto porque esta mañana te vencí en la lucha cuerpo a cuerpo? —preguntó imprudentemente.

El rostro de Toh-Ril se ensombreció. Él era más grande y fuerte, pero Ankris, más ágil y rápido, lo había dejado en ridículo aquella mañana. No había hecho bien en recordárselo.

—A por él, chicos —dijo—. Le enseñaremos a no darse tantos aires.

Ankris retrocedió y se volvió hacia todos lados.

—¿Asustado? —se burló Toh-Ril.

Ankris vislumbró una vía de escape: un hueco entre dos de los chicos. Salió corriendo hacia allí.

—¡Eh, que se escapa!

Ankris se zafó hábilmente del primero y, de un empellón, desequilibró al segundo, que había comenzado a correr hacia él. Huyó a toda velocidad hacia su casa, sorteando los troncos de los árboles, mientras Toh-Ril y los suyos lo perseguían. Y tal vez habría llegado, de no ser porque sus pies se enredaron en una raíz traicionera que lo hizo caer al suelo.

—¡Ya es nuestro! —oyó la voz de Toh-Ril tras él.

Ankris intentó levantarse, pero no pudo. Le dolía el tobillo derecho. Se apoyó en el tronco de un árbol para incorporarse y volverse hacia sus perseguidores, que ya lo habían alcanzado.

—¿Ya no corres, pequeño? —se burló uno.

Ankris, sabiéndose acorralado, gruñó amenazadoramente. Los chicos se rieron.

—¿No os lo decía yo? —sonrió Toh-Ril con desprecio—. No es más que un pequeño animal salvaje.

Lanzó el puño hacia el rostro de Ankris; este intentó zafarse, y el golpe le acertó dolorosamente en el hombro.

—Es escurridizo —comentó Toh-Ril—. Sujetadlo.

Dos de los elfos obedecieron y, esta vez, Toh-Ril no falló. Golpeó a Ankris en la cara y el niño gimió de dolor, trató de escapar otra vez y casi lo consiguió.

—¿Qué pasa? No me digáis que no podéis con un chiquillo que aún no ha cumplido los cincuenta años.

—Es que... ¡ayyy! ¡Me ha mordido! ¡Qué bestia! Si me ha hecho sangre y todo...

Toh-Ril lo miró, irritado, y fue a decir algo, pero se calló.

El sabor de la sangre había producido un cambio sutil en el rostro de Ankris, ahora contraído en un amenazador gesto de rabia. El niño los miraba con un extraño y sobrenatural brillo amarillento en los ojos, mientras gruñía por lo bajo exactamente igual que un animal.

–¿Pero qué...? –empezó uno de los chicos.

No terminó la frase. Con un aullido de rabia, Ankris se lanzó sobre él y le hizo caer al suelo. Ambos rodaron sobre la hierba. Las uñas de Ankris se clavaron en el brazo de su contrario, mientras su boca buscaba su garganta.

–¡Sacádmelo de encima! ¡Sacádmelo de encima! –gritaba el muchacho, aterrado.

Toh-Ril reaccionó. Se abalanzó sobre Ankris y tiró de él hacia atrás, pero el niño se revolvió y lo arañó en la cara. Toh-Ril retrocedió con un grito y lo miró. La luna llena iluminó los rasgos de Ankris, y el hijo del Capitán se quedó sin respiración.

Su rostro parecía más bestial que élfico, y sus ojos... Toh-Ril reculó todavía más, llevándose una mano a su mejilla sangrante. Sus compañeros retrocedieron también, lentamente, hasta reunirse con él, sin dejar de vigilar a Ankris, que los miraba alerta y con los músculos en tensión, como si fuera a saltar sobre ellos en cualquier momento.

–Vámonos –murmuró Toh-Ril, aterrado.

Los cinco dieron media vuelta y echaron a correr.

Ankris los persiguió durante un rato, sintiendo que el suave resplandor de la luna llena colmaba su espíritu con una fuerza salvaje que jamás había experimentado. El tobillo ya no le dolía y la marca del puño de Toh-Ril en su rostro apenas se notaba. Finalmente, cansado del juego, los dejó marchar; trepó a una enorme roca y los vio huir de él como conejos asustados. Se sintió fuerte, poderoso y libre. Oyó entonces a los lobos aullando en la lejanía. Sus padres le habían inculcado la idea de que el lobo era el ser más peligroso, temible, odioso y despreciable que existía, pero en aquel momento su remota llamada le pareció el sonido más hermoso que jamás había escuchado, y quiso responderles.

Echó la cabeza atrás y aulló. Fue un aullido lleno de sentimientos de triunfo y salvaje alegría. Y los lobos respondieron.

Ebrio de libertad y de júbilo, Ankris bajó de la roca, dispuesto a reunirse con ellos.

Pero una figura lo esperaba al pie de la roca, y Ankris se quedó paralizado al reconocerla.

Se trataba de Eilai, su madre.

Súbitamente, Ankris volvió a la realidad. El momento había pasado, y de pronto el muchacho ya no era una bestia salvaje, sino un jovencísimo y muy desconcertado elfo que tenía muchos problemas para recordar lo que acababa de suceder.

Sí recordaba haber aullado, y se sintió tremendamente ridículo por ello. Se acercó a su madre con una sonrisa de disculpa, incómodo e inquieto por la extraña expresión del rostro de ella. Quiso pedir perdón por su absurdo comportamiento pero, antes de que pudiera decir nada, ella lo abofeteó.

—No vuelvas a hacer eso nunca más —dijo, muy pálida.

Ankris no dijo nada. Estaba demasiado sorprendido como para hablar.

De todas formas, Eilai no esperaba respuesta. Se lo llevó a rastras de vuelta a su casa, una elegante cabaña construida, como casi todas las viviendas de los Centinelas, sobre la copa de un árbol, y lo encerró en su habitación.

Ankris pasó allí toda la noche, llorando y maldiciendo a partes iguales y pensando que su madre había sido terriblemente injusta con él. Si hubiese prestado atención a lo que susurraban sus padres al otro lado de la puerta habría comprendido muchas cosas; pero en aquel momento solo podía pensar en lo excesivo del castigo recibido, sin comprender exactamente lo que había sucedido aquella noche, sin comprender que aquello tendría serias consecuencias. Cuando por fin, agotado, sintió que lo vencía el sueño, una chispa de rebeldía y de orgullo se encendió en su interior, y se juró a sí mismo que nunca más volvería a llorar.

A pesar de que al día siguiente todo el mundo pudo ver las marcas de las uñas de Ankris en el rostro de Toh-Ril, este no llegó a denunciar lo ocurrido, ni tampoco sus compañeros. A la luz del día las cosas se veían diferentes, y aquel desgreñado chiquillo no parecía ni mucho menos tan amenazador como lo habían creído la noche anterior. Por un lado se sentían avergonzados y no querían confesar que los había vencido; por otro lado, desde entonces no pudieron evitar mirarlo con un temeroso respeto, aunque la llama del odio ardía en sus corazones, especialmente en el de Toh-Ril, con más intensidad que nunca.

Ankris fue consciente de ello; sin embargo, como no recordaba el enfrentamiento —mucho tiempo después se acordaría y comprendería muchas cosas—, en aquel momento no fue capaz de entender qué había motivado aquel cambio de actitud.

Además, en seguida tuvo otras cosas en que pensar: desde entonces, todas las noches de plenilunio se sentía extrañamente agotado y dormía de un tirón hasta bien entrado el día siguiente, cuando se despertaba con un fuerte dolor de cabeza y demasiado tarde como para llegar a las clases de la mañana. A nadie le parecía extraño; Ankris faltaba a la escuela a menudo.

El niño luchó con todas sus fuerzas contra aquel extraño cansancio crónico, pero no logró mantenerse despierto una sola de aquellas noches.

Era demasiado joven e inocente todavía para sospechar siquiera que sus padres mezclaban un somnífero en su cena todas las noches de plenilunio.

III

SHI-MAE

UNA LARGA COLA DE CARRUAJES aguardaba a ambos lados de la puerta del Paso del Sur. Ankris observó durante un rato, perplejo, las idas y venidas de los lacayos, vestidos con distintas libreas, que exigían un trato preferencial para sus respectivos señores, encopetados aristócratas que protestaban con impaciencia desde el interior de sus vehículos. Unos querían salir del Reino de los Elfos y otros trataban de entrar. Siempre había sido así en la frontera, pero aquel día el tráfico era sorprendentemente denso, a pesar de que los Centinelas hacían lo posible por despachar con agilidad los eternos trámites requeridos para pasar al otro lado.

Ankris vio un poco más allá a su amigo Aefeld y se reunió con él.

—¿Qué es lo que pasa hoy?

—¿No lo sabes? —Aefeld era el único chico de la escuela que parecía apreciarlo un poco, aunque, a sus noventa y tres años, Ankris seguía siendo un solitario—. Los reyes han tenido una hija, la princesa Nawin. Ella será la nueva reina cuando sea mayor.

Ankris recordó de pronto que, muchos años atrás, el brujo había dicho que Shi-Mae, la niña de los ojos de color zafiro, podría llegar a ser reina algún día. A pesar del tiempo transcurrido, Ankris no la había olvidado y seguía acercándose a menudo al paso fronterizo para espiar los carruajes que entraban en el reino, esperando verla en el interior de uno de ellos.

—¿Y por eso entra y sale tanta gente?

—Claro. Aquellos que habían conspirado para hacerse con el trono ahora ya no tienen posibilidades, así que muchos se exilian; pero volverán cuando todo esté más calmado.

»Por otra parte, muchos se fueron en tiempos más difíciles, y ahora regresan tras haber proclamado su fidelidad a la nueva heredera, aprovechando que el panorama político se ha estabilizado a raíz de su nacimiento.

El corazón de Ankris dio un vuelco. «Shi-Mae», pensó. «Shi-Mae volverá».

—Compadezco a la princesa —suspiró Aefeld—. Mi padre dice que, mientras sea una niña vulnerable, muchos intentarán matarla para seguir teniendo opciones al trono. Otros se acercarán a ella y la adularán para obtener privilegios. Probablemente, crecerá sin confiar en nadie.

Ankris consideró el comentario de su amigo. Finalmente se encogió de hombros.

—Yo no le veo ninguna ventaja a eso de ser rey —declaró—. No comprendo cómo alguien pueda querer matar o morir por ello.

Aefeld sonrió.

—Eres un chico extraño, Ankris —dijo, pero enmudeció en seguida.

Como de costumbre, Ankris se había marchado sin despedirse y ya había desaparecido en la espesura.

En los días siguientes el tráfico en el Paso del Sur se intensificó. Ankris redobló su vigilancia, sin resultado. Se acostumbró también a colarse en la habitación donde se guardaba el libro que registraba las entradas y salidas a través del Paso. Sin embargo, los nombres del Duque del Río y su familia seguían sin estar plasmados en sus páginas. Estaba empezando a temer que Shi-Mae jamás regresaría cuando sucedió algo. Una noche, mientras cenaban, Anthor le dijo a Eilai:

—El Capitán me ha pedido que uno de los dos acuda al Paso esta noche.

—¿Por qué? ¿Otro noble de alta cuna desea cruzar en secreto la frontera?

—Y todo un pez gordo. Nada menos que el Duque del Río.

El corazón de Ankris dio un vuelco. Alzó la cabeza para escuchar atentamente.

—Debe de tener muchos enemigos en el reino —prosiguió Anthor—, pues ha pedido una escolta especial de Centinelas que protejan su carruaje mientras cruza el Anillo. Parece ser que temen ser víctimas de una emboscada en el bosque profundo.

—Pero esta noche hay luna llena —vaciló Eilai.

—Me he dado cuenta —gruñó Anthor—. Desde luego, si querían que nadie se enterase de su llegada, han elegido un mal momento. Cualquiera podría verlos. El Capitán intentó hacérselo entender a su emisario, pero al parecer el Duque no quiso alterar sus planes. ¿Cómo se puede ser tan estúpido?

—Anthor, tú sabes por qué lo digo.

Ambos dirigieron a Ankris una rápida mirada de reojo. El chico no solía prestar atención a las conversaciones de sus padres, pero en aquel momento estaba atento y captó claramente aquella mirada. Se quedó tan sorprendido que no dijo nada.

—Iré yo —decidió Eilai—. Tú deberías quedarte aquí, con Ankris.

—Yo también quiero ir —intervino el muchacho en seguida.

Los dos se volvieron hacia él y lo miraron como si fuera la primera vez que lo veían.

—Otro día, hijo... —empezó Anthor.

—No, tiene que ser esta noche —insistió Ankris; vio en los rostros de sus padres que no pensaban dejarlo salir, y suplicó—: Por favor...

Anthor frunció el ceño; iba a reiterar su negativa en términos más firmes, pero Eilai intervino, con suavidad:

—Ankris, hijo, no podrías ir aunque quisieras. Sabes que nunca te sientes bien las noches de luna llena. Si te quedases dormido no me facilitarías la vigilancia.

Una oleada de pánico inundó a Ankris. Su madre tenía razón.

Sintió que el mundo se derrumbaba a su alrededor. Había aguardado durante décadas el regreso de Shi-Mae, y aquel estúpido Duque del Río elegía una noche de luna llena para atravesar la frontera. No era justo.

Una llama de rebeldía encendió su corazón.

—Esta vez será diferente —aseguró—. No me dejaré vencer por el sueño, lo prometo.

«Es demasiado importante», pensó, pero no se atrevió a decirlo. Él mismo no había logrado explicarse aún por qué tenía tantas ganas de volver a ver a Shi-Mae, a la que ni siquiera conocía, de modo que sería inútil tratar de hacérselo entender a sus padres.

Anthor y Eilai cruzaron una mirada.

—Como quieras —concedió ella—. Pero acaba de cenar antes; y bebe, no has tocado tu copa todavía.

Loco de alegría, Ankris obedeció y tomó una cucharada más de sopa. Fue a beber, pero de pronto percibió la mirada expectante de sus padres y alzó la cabeza.

—¿Qué es lo que pasa?

Ellos ya miraban hacia otra parte.

—Nada, hijo, bebe tranquilo.

Ankris volvió a centrar su atención en el vaso, pero tuvo una intuición.

—No tengo sed —declaró, mirando fijamente a su madre.

Ella palideció visiblemente. Y, según apreció el muchacho, también el rostro de su padre pareció perder color.

—No pasa nada —dijo Eilai, con una sonrisa forzada—. Ya beberás más tarde.

—He dicho que no tengo sed —repitió Ankris, despacio.

—¿Cómo te atreves a hablarle así a tu madre? —lo reprendió Anthor.

—Solo he dicho que no tengo sed. ¿Desde cuándo eso es un delito?

Su padre lo miró un momento, con un destello de furia en los ojos. Entonces dijo, lenta pero firmemente:

—Se acabó. Esta noche te quedas en casa, jovencito.

—¿Qué? —soltó Ankris, estupefacto—. ¿Por qué? ¿Por no querer beber? ¡Eso es absurdo!

—¡No seas impertinente! —estalló Anthor—. ¡Si tu madre quiere que bebas, será por una buena razón, y tú no eres quién para discutir! ¿Me has entendido?

—¡No, no lo entiendo! —casi chilló Ankris, temblando.

Nunca antes se había enfrentado a sus padres de aquella manera. Aún no estaba muy seguro de lo que estaba sucediendo, pero lo intuía y, aunque la explicación que se le ocurría resultaba alarmante, justificaba en gran parte el extraño comportamiento que había detectado en sus padres en los últimos tiempos.

A pesar de la rabia que sentía, se dio cuenta de que ellos también temblaban... y, por encima del gesto de enfado de su padre, descubrió una sombra de temor en su mirada.

¿De qué tenían miedo? ¿De él?

—¡Ya basta, Ankris! —gritó su padre—. ¡No me repliques o...!

—¿O qué? —Las palabras salieron de su boca antes de que pudiera detenerlas—. ¿O drogarás también la comida para que no salga las noches de luna llena?

Ya estaba dicho.

Había pretendido imprimir a su voz un tono sarcástico, no iba en serio, pero los rostros de sus padres se quedaron petrificados un momento, y Ankris leyó la verdad en sus ojos.

—No digas tonterías —farfulló Anthor.

Pero Ankris lo sabía. Arrojó el vaso al suelo y escuchó con siniestro placer cómo se rompía en pedazos. Anthor avanzó hacia él. Ankris retrocedió.

—No pasa nada, hijo —dijo Eilai, al borde del llanto—. No tengas miedo.

Pero Ankris tenía miedo. De pronto, su casa ya no le parecía un lugar seguro.

—No —le dijo a su padre—. No te acerques.

Anthor siguió avanzando. Ankris dio media vuelta y echó a correr hacia la ventana. Oyó que su padre corría tras él, pero lo había cogido desprevenido y no pudo alcanzarlo. Ankris saltó por la ventana y se enganchó a las ramas de un árbol. No era la primera vez que salía así de su casa. Trepó hasta la copa del árbol y se perdió en la oscuridad, sin hacer caso de las voces de sus padres, que lo llamaban. Todavía tenía miedo, pero estaba en su mundo y la luna llena brillaba sobre él, invitándolo a la libertad y a la locura.

El carruaje del Duque del Río atravesó el Paso, y Anthor y Eilai estaban allí. Ankris se ocultó entre los árboles y observó. Por la forma en que sus padres escudriñaban las sombras, el joven elfo adivinó que no habían acudido allí solamente para proteger al Duque.

Lo estaban buscando a él.

Ankris apretó los dientes y sacudió la cabeza. No volvería nunca a su casa, nunca, nunca... Pero tenía que ver a Shi-Mae una vez más.

De modo que, silencioso como una sombra, siguió al carruaje a través del bosque. Ninguno de los Centinelas de la escolta, entre los que se encontraban sus padres, se percató de su presencia.

El camino que serpenteaba a través del Anillo boscoso era estrecho e incómodo, y el carruaje avanzaba lentamente y con dificultad. Los accesos al corazón del Reino de los Elfos eran difíciles y estaban fuertemente vigilados. Nadie podía pasar por aquel camino sin que los Centinelas lo advirtieran, pero también era un lugar perfecto para emboscarse porque los vehículos y los caballos se veían obligados a avanzar muy despacio. Así, los elfos estaban protegidos de toda amenaza exterior; pero los enemigos del Duque procedían del interior y, si querían evitar que regresase a la capital, deberían aprovechar el trayecto a través del Anillo; después sería más difícil efectuar un ataque.

Los Centinelas de la escolta permanecían alerta y Ankris comprendió que le sería imposible acercarse al vehículo sin que lo vieran. Estaba empezando a acariciar la idea de seguirlo hasta la mismísima capital, abandonando el bosque que lo había visto crecer, cuando sucedió algo.

Varias flechas surgieron de la espesura, silbando, buscando los cuerpos de los Centinelas de la comitiva. Cuatro de ellos cayeron, abatidos por las saetas.

—¡Emboscada! ¡Emboscada! —gritó Anthor.

Muy confuso, Ankris miró a su alrededor. Los Centinelas se habían ocultado tras los árboles y ya escudriñaban la maleza. Ankris quiso ayudar, pero se dio cuenta de que, en su precipitada huida, había dejado en casa su arco, su carcaj y su puñal de caza. Se movió con cautela sobre las ramas. Descubrió a un elfo agazapado un poco más lejos, armado con una ballesta. Se acercó sigilosamente, esperando poder sorprenderlo por detrás. Cuando estaba casi encima de él, comprobó con horror que el elfo tenía a tiro a su madre, oculta entre la maleza un poco más allá. Con un grito salvaje, Ankris se lanzó sobre él. Ambos perdieron el equilibrio y cayeron al suelo. La ballesta se disparó y la flecha fue a clavarse en el anca de uno de los caballos, que, con un relincho aterrorizado, se encabritó y echó a correr, arrastrando el carro tras de sí. El cochero perdió el equilibrio y cayó del pescante, de modo que el vehículo quedó sin control, a merced de los aterrados caballos, que pronto se perdieron con él en la oscuridad.

Ankris estaba forcejeando con el atacante y, al principio, no fue consciente de lo que sucedía. Eilai corrió a ayudarle y entre los dos redujeron al agresor y le arrebataron la ballesta. El chico se incorporó un poco y se encontró con la mirada de su madre.

Fueron apenas unos segundos, pero Ankris y Eilai entendieron muchas cosas.

Ankris supo que su madre le quería y que solo había intentado protegerlo.

Eilai comprendió que jamás podría retener a su hijo junto a ella ni convertirlo en algo que no era.

Sin una palabra, Ankris cogió la ballesta, dio media vuelta y echó a correr tras el carruaje desbocado. Su madre no intentó detenerlo.

El muchacho encontró el vehículo un poco más allá. Había perdido dos ruedas por el camino y uno de los caballos había logrado soltarse. El otro piafaba, nervioso, y trataba de avanzar, pero el carruaje había quedado trabado entre dos árboles y el animal no lograba arrastrarlo tras de sí.

Pero lo que hizo que Ankris se apresurase fue ver que uno de los asaltantes había alcanzado el vehículo antes que él y, armado con una daga, se disponía a abrir la portezuela.

Ankris aulló y saltó sobre él. Su oponente se volvió a tiempo de ver su silueta, recortada contra la luna llena, y el brillo salvaje y bestial de sus ojos ambarinos. Paralizado por la sorpresa, no fue capaz de defenderse. Ankris cayó sobre él y lo atacó con las manos desnudas, con uñas y dientes, como un animal. Aterrorizado, sin saber si quien lo estaba atacando era elfo, bestia o demonio, el atacante salió huyendo sin mirar atrás.

Ankris saltó al techo del carruaje y aulló. A lo lejos, otros lobos le contestaron. Y sintió nuevamente aquella salvaje sensación de poderío y libertad.

Bajó del carruaje de un salto y abrió la puerta con un brusco tirón. Misteriosamente, sus fuerzas parecían haberse multiplicado, pero él no se percató de ello. Asomó la cabeza al interior, en busca de Shi-Mae.

Las personas que ocupaban el vehículo lo miraron, aterrorizadas. Su silueta, de cabello encrespado y rebelde, se recortaba contra la suave luz nocturna del exterior, y el brillo de sus ojos seguía siendo sobrenatural y amenazador. Una elfa joven, probablemente de su edad, chilló aterrorizada. Tenía el cabello castaño y los ojos azules, y vestía una túnica de color celeste.

El muchacho gruñó, pero sacó la cabeza del carruaje. Los Centinelas y los elfos de la escolta del Duque acababan de alcanzarlos y corrían hacia ellos. El Capitán, que iba en cabeza, se detuvo en seco y lo miró, sorprendido.

—¿Ankris? ¿Eres tú? ¿Qué haces aquí?

El muchacho no respondió. Miró a su padre, que acababa de llegar; este le devolvió una mirada horrorizada, como si no estuviese viendo a su hijo, sino a un monstruo.

—Están todos bien —dijo Ankris; su voz sonó mucho más áspera de lo habitual.

No era consciente del aspecto salvaje que presentaba ahora, pero sí captó la expresión en el rostro de su padre, y supo que una barrera se había alzado entre los dos, una barrera que no lograría derribar jamás. Y, por si aún le quedaban dudas, en ese momento comprendió definitivamente que era hora de marcharse de casa.

—¡Apártate de ahí! —gritó uno de los escoltas del Duque, corriendo hacia él—. ¡Que te apartes, te digo!

Ankris sonrió de manera siniestra y se separó del carruaje. Se volvió hacia su padre. Su rostro seguía pálido, y lo miraba como si no lo reconociera.

—Adiós, padre —dijo.

Dio media vuelta y se perdió en la espesura, alejándose de los guardias, de los Centinelas, de sus padres, del camino y del carruaje.

De todas formas, ya había visto lo que quería ver.

Tal vez lograran engañar a otro con esa treta, pero no a él. La niña de la túnica azul no era Shi-Mae.

Confuso y perdido, Ankris deambuló por el bosque un rato más. Los aullidos de los lobos sonaban cada vez más cerca y Ankris se encontró a sí mismo escuchándolos atentamente. Jamás había visto un lobo de cerca, pero se dio cuenta de pronto de que comprendía lo que estaban diciendo.

«Venid, hermanos», aullaban. «Hay una elfa sola en el bosque».

Ankris tuvo una intuición y echó a correr hacia allí. A pesar de que siempre le había gustado escuchar sus aullidos en la lejanía, los lobos poblaban sus peores pesadillas. Desde que era niño, sus padres le habían contado terroríficas historias protagonizadas por lobos y le habían enseñado que estos eran las criaturas más horribles que existían. Por eso dudó un momento antes de acercarse más; pero un chillido de terror resonó en la noche y Ankris echó a correr de nuevo.

Encontró a los lobos rodeando a una muchacha que temblaba de miedo. Ankris se estaba preguntando cómo acercarse, cuando ella hizo algo que lo cogió completamente por sorpresa. Murmuró una serie de palabras sin sentido que sonaban como una letanía, hizo un curioso gesto con las manos y, cuando terminó de hablar, algo parecido a un destello de luz iluminó el claro... y los tres lobos más cercanos a ella se convirtieron en piedra.

Eso (o quizá fue la luz) amedrentó a los lobos restantes, que retrocedieron un tanto. Admirado, Ankris empezó a pensar que tal vez, después de todo, la chica no necesitaba ayuda, pero apreció entonces que ella se apoyaba en el tronco de un árbol para no desmayarse; al parecer, el hechizo había agotado sus fuerzas.

No lo dudó más. Cargó la ballesta que le había quitado al asaltante con la única flecha que tenía y avanzó cautelosamente, sin dejar de mirar a los lobos. Lo primero que pensó fue que no parecían tan terribles. Y, cuando ellos fijaron sus ojos en los de él, Ankris fue sacudido por una extraña sensación de familiaridad...

Siguió avanzando con la ballesta preparada; pero, ante su sorpresa, los lobos bajaron la cabeza y retrocedieron, como si temieran enfrentarse a él. Ankris estuvo a punto de soltar una carcajada estupefacta. Pero, por otro lado, algo en su interior le decía que los lobos no le harían daño porque eran sus iguales.

Sus hermanos.

Bajó la ballesta y avanzó con seguridad entre los lobos. Todos ellos se apartaron a su paso, excepto los tres que la elfa había petrificado. Ankris llegó junto a ella y la miró. Era Shi-Mae. Habría reconocido aquellos ojos en cualquier parte.

El lobo más grande avanzó un poco y gruñó, poco dispuesto a dejar que Ankris asumiera el mando. El elfo se volvió hacia él y lo miró fijamente. El lobo gimió, acobardado, y retrocedió.

—Marchaos —dijo Ankris simplemente.

Y los lobos, uno por uno, dieron la vuelta y se perdieron en la espesura.

Ankris se sintió exultante, y un poco ridículo a la vez. ¿Y eran estas las criaturas a las que tanto había temido?

—¿Quién eres tú? —exigió saber Shi-Mae.

Ankris se volvió para mirarla. Recordó la expresión de los guardias, de los ocupantes del carruaje caído, de su propio padre, cuando lo habían visto aquella noche. Pero Shi-Mae no parecía asustada. Lo contemplaba con desconfianza, sí, pero también con curiosidad y... ¿fascinación?

—Me llamo Ankris, y soy un Centinela.

Esto no era del todo cierto. Shi-Mae debió de darse cuenta, puesto que un brillo burlón destelló en sus ojos.

—¿Tan joven? Si eres un niño aún. Seguro que no eres mayor que yo.

—He ahuyentado a los lobos —declaró él, algo herido—. Y sin necesidad de magia.

—Eso es cierto —admitió ella—. ¿Hablas su lenguaje? Nadie puede comunicarse así con los animales a no ser que posea poderes mágicos.

—Soy un Centinela. Nosotros conocemos el bosque y sus criaturas mejor que cualquier elfo —se inclinó junto a los tres lobos petrificados y los acarició, sintiendo que se le rompía el corazón—. ¿Qué les has hecho? —preguntó; su voz, quizá debido al nerviosismo, sonó un poco más dura de lo que él pretendía.

—Es uno de los hechizos más difíciles del Libro de la Tierra —declaró ella, muy orgullosa—. Claro que yo, como soy aprendiza de tercer grado, ya controlo...

—¿Puedes deshacerlo? —cortó él con brusquedad.

—Claro que puedo —Shi-Mae pareció ofendida—. Pero no quiero. Esos animales han intentado devorarme.

Ankris se sintió furioso sin saber por qué, pero trató de contenerse.

—Si yo te pusiera a salvo..., ¿liberarías a los lobos?

—Solo necesito mi caballo para salir de aquí —replicó ella fríamente—. Ya que sabes hablar con los animales, podrías traerlo de vuelta.

—¿Tu caballo? —Ankris recordó de pronto que Shi-Mae no había cruzado la frontera en el carruaje—. ¿Es así como has llegado hasta aquí? Pensaba que el vado estaba vigilado.

—Y lo estaba, pero no demasiado. Además, yo soy una aprendiza de tercer grado y sé hacer algunos trucos... La magia puede ocultarme de la mirada de los Centinelas.

—¿Has venido sola? ¿Por qué no cruzaste el Paso del Sur en el carruaje del Duque del Río, Shi-Mae?

Ella se quedó helada.

—¿Cómo... cómo sabes mi nombre?

—Lo sé —respondió él abruptamente—. El carruaje de tu padre ha sufrido una emboscada.

El rostro de ella no mostró ninguna emoción. Era como si ya hubiera estado esperando aquellas noticias.

—¿No quieres saber si tu padre está bien?

—Mi padre no se encontraba en ese carruaje —dijo Shi-Mae al fin—. Lleva varios días esperándome en la ciudad. Cruzó la frontera por el este.

Ankris la miró, desconcertado.

—Ese carruaje no era más que un señuelo —tuvo que explicarle ella, exasperada—. Fingimos que íbamos a cruzar la frontera en secreto por el Paso del Sur. Pero dimos suficientes pistas a nuestros enemigos como para que adivinasen la ruta del carruaje falso. Suponíamos que aprovecharían el viaje a través del Anillo para atacar el vehículo, y mientras tanto, yo atravesaría la frontera por el vado, acompañada de un escolta.

—¿Un... escolta?

—Uno de los caballeros de confianza de mi padre. Desgraciadamente, resultó que no era precisamente de confianza —el rostro de Shi-Mae se endureció—. Después de cruzar el vado trató de secuestrarme.

—¿Y qué pasó? —preguntó Ankris, impresionado.

—Lo convertí en piedra —respondió ella con cierta frialdad.

—Me parece que abusas de tu poder —dijo Ankris con un estremecimiento.

El rostro de ella se volvió súbitamente serio.

—Se acabó la charla —replicó con dureza—. Tráeme mi caballo inmediatamente. Y no oses volver a dirigirte a mí en ese tono, plebeyo.

—Te traeré tu caballo —respondió Ankris, molesto—, pero tú a cambio devolverás la vida a estos lobos.

Shi-Mae no contestó. Refunfuñando para sus adentros, Ankris fue a buscar el caballo.

No tardó en encontrarlo y en traerlo de vuelta. Shi-Mae montó con gesto de reina y se dispuso a partir.

—¡Espera! —la detuvo Ankris—. ¿Y los lobos?

—Estoy demasiado cansada para hacer hechizos.

—¡Lo has prometido!

—¡Yo no he prometido nada!

—Lo que pasa es que no sabes deshacer el conjuro porque eres solo una aprendiza.

Shi-Mae se puso roja de indignación, pero finalmente pronunció las palabras mágicas y despetrificó a los lobos. Ankris no les dijo que se marcharan. Casi sin darse cuenta de lo que hacía, posó su mano derecha sobre la cabeza de uno de los animales. Ninguno de los tres hizo ademán de atacarle a él o a Shi-Mae.

—¿Satisfecho? —gruñó ella.

Pero Ankris negó con la cabeza.

—Podrías darme las gracias por haberte salvado la vida.

—Ya he despetrificado a los lobos.

—Eso lo has hecho a cambio de que te devolviera tu caballo.

Los ojos de Shi-Mae mostraron un nuevo brillo.

—Ah, quieres una recompensa..., no eres tan tonto como pareces. Muy bien. Preséntate en la Casa del Duque del Río, mi padre, y él te dará un galardón por haberle salvado la vida a su hija. Adiós, chico-lobo.

—¡Espera! ¿Vas a irte sola hasta la ciudad?

Pero ella ya se alejaba en la oscuridad.

Ankris suspiró mientras la veía marcharse. Después alzó la mirada para contemplar la luna llena. Uno de los lobos aulló, y él lo secundó con otro aullido, sintiéndose libre, salvaje y feliz. Se inclinó para acariciar a los lobos y en ese momento supo que tenía tres nuevos amigos.

—No vamos a dejar que se vaya sola, ¿verdad?

Uno de los lobos gruñó con disgusto. Ankris sonrió.

—No te preocupes, no nos acercaremos demasiado. La vigilaremos desde lejos.

«Bien, Shi-Mae», pensó. «Por supuesto que acudiré a la casa de tu padre. Y allí te veré otra vez».

Los lobos aullaron de nuevo y Ankris aulló con ellos.

IV

CAMBIOS

EL CHAMBELÁN MIRÓ A ANKRIS como si fuera un piojo. Después clavó la vista en el lobo que lo seguía y enarcó una ceja.

—¿Dices que quieres ver al Duque? ¿Tú?

El muchacho era consciente de su aspecto desarrapado. Había tardado varias semanas en llegar a la capital del reino, puesto que, una vez abandonado el Anillo boscoso que era el hogar de los Centinelas, se sintió mucho más inseguro y avanzó solamente de noche, ocultándose en los graneros y establos de aquellas extrañas casas construidas a ras de suelo. Con todo, logró alcanzar la ciudad casi al mismo tiempo que Shi-Mae, pero esta no llegó a detectar su presencia en ningún momento, a pesar de que él la había seguido de cerca.

Había pasado un par de días vagabundeando furtivamente por la urbe, entre asustado y maravillado. Las agujas de los edificios más altos, de mármol, oro y cristal, se alzaban delicadamente hacia el cielo, reluciendo bajo el sol. Aquella deslumbrante y exquisita ciudad estaba rodeada de bosque y, de alguna manera, parecía formar parte de él. Pese a ello, Ankris comprendió en seguida que a los demás elfos no les gustaban los lobos. Aquel día en concreto, sin embargo, había decidido que uno de ellos lo acompañaría.

Sabía que no era elegante, ni refinado, ni estaba bien educado, como los elfos de la capital. Sabía que iba sucio, descalzo y despeinado, y que la compañía del lobo no favorecía mucho su imagen. Pero su mirada era resuelta y desafiante. «Soy lo que soy», pensaba obsesivamente. Y, aunque no sabía exactamente qué era, sí intuía que sus padres habían intentado ocultarle su verdadera naturaleza y se rebelaba contra ello.

De modo que respondió con calma:

—Sí. Yo quiero ver al Duque.

—¿Y a quién debo anunciar? —preguntó el chambelán con sarcasmo.

—A Ankris.

—Ankris, ¿qué más?

Parecía estar disfrutando con ello. Pero, si pensaba que humillaba a Ankris hablándole de aquella manera, desde luego estaba muy equivocado.

—Ankris, El-que-salvó-la-vida-de-su-hija-Shi-Mae —respondió muy despacio—. Tomad nota.

En las mejillas del chambelán aparecieron sendos rosetones.

—¿Cómo te atreves?

—Y añadid: En-el-bosque-cuando-intentaba-atravesar-la-frontera-sur-secretamente —indicó—. Por favor —concluyó con la más inocente de sus sonrisas.

Los rosetones de las mejillas del chambelán se volvieron más brillantes.

—¿Pero... cómo... te... atreves? —pudo articular.

—¿Qué sucede? ¿Mi apellido no es suficientemente largo? Añadid entonces...

—No añadiré nada más, pequeño salvaje. Saca tus sucios pies de esa valiosa alfombra y vete por donde has venido.

—No tengo intención de hacer tal cosa.

El chambelán hizo una seña y se acercaron dos guardias.

—¿Cómo ha entrado aquí este granuja desvergonzado?

Los dos parecieron confusos.

—Pues... no ha atravesado la puerta principal ni el patio de armas, señor. Lo habríamos visto.

—Sacadlo de aquí inmediatamente.

Los dos guardias avanzaron, pero el lobo se interpuso entre Ankris y ellos y gruñó. Los guardias vacilaron un momento; no obstante, no se detuvieron, por lo que el lobo saltó sobre el primero de ellos, que había sacado su espada corta. El segundo guardia trató de coger a Ankris, pero este se escabulló con insultante facilidad.

Finalmente, todos acabaron en el suelo, en un caótico montón. Los dos guardias habían derribado a Ankris, y el lobo había mordido con saña la pierna de uno de ellos, que gritaba de dolor.

—¡Ya basta! —ordenó entonces una voz—. Soltad al muchacho.

Ankris pudo ver a un elfo de porte imponente que se acercaba montado sobre un soberbio caballo alazán. Al verlo, el chambelán se inclinó tan servil y exageradamente que casi rozó el suelo con la punta de la nariz, y el guardia que soltaba a Ankris lo dejó libre. El chico se levantó, algo sorprendido, pero dejó escapar un suave gruñido y el lobo soltó inmediatamente la pierna del segundo guardia.

El jinete observaba todo esto con sumo interés.

—¿Quién es este pequeño bárbaro?

—Mi señor Duque —se apresuró a responder el chambelán—, no es más que un ladronzuelo que ha entrado en el recinto y...

—¿Ah, sí? ¿Y de qué modo ha entrado en el recinto, si puede saberse?

Los guardias parecieron avergonzados. Ankris señaló un árbol que crecía al otro lado del muro.

—He trepado por allí hasta esa rama que sobresale un poco —explicó—, y después me he dejado caer dentro. Ha sido sencillo.

—Imposible —barbotó el chambelán—. No se puede trepar a ese árbol. Es demasiado alto y no tiene ramas bajas.

Ankris se encogió de hombros.

—Cualquier Centinela podría hacerlo sin dificultad —dijo fríamente.

Los ojos del Duque brillaron de una manera extraña.

—Ya veo. ¿También tu animal sabe trepar a los árboles?

—No. Pero sabe cruzar puertas vigiladas por guardias que solo miran al frente, y nunca hacia abajo.

Los ojos del Duque relucieron de nuevo.

—¿Y por qué motivo querías entrar en mi casa? ¿Qué esperabas robar?

—Si hubiese querido robar algo, no me habría dirigido a vuestro portero. Obviamente he trepado al árbol porque los guardias no me han dejado pasar. Desde el primer momento he dejado claro que lo que deseaba era hablar con vos.

—¿En serio? ¿Y qué quieres de mí?

—Solicito que me permitáis trabajar para vos, señor.

El chambelán gimió ante semejante descaro. El Duque entrecerró los ojos peligrosamente.

—¿Qué te hace pensar que te necesito?

Ankris se encogió nuevamente de hombros.

—De momento ya he demostrado que soy más listo que vuestros guardias. Pero no vengo aquí de vacío. Solicito trabajo como recompensa por haber salvado a vuestra hija Shi-Mae de morir en el bosque hace unas semanas.

El Duque lo miró largamente. Desmontó entonces de su caballo y despidió a los guardias. Después se alejó un poco de la puerta e hizo a Ankris una seña para que lo siguiese, lejos de los indiscretos oídos del chambelán. Una vez solos, el Duque le dijo:

—Eres osado. ¿Cómo sé que dices la verdad?

Ankris se mostró desconcertado por primera vez.

—¿Ella no os lo ha contado?

—Por supuesto que no.

Ankris titubeó. Pero entonces alzó la cabeza, resuelto, y miró al Duque a los ojos.

—No miento —dijo—. Encontré a Shi-Mae en el bosque, cerca de la frontera sur. La atacaba una manada de lobos.

Le relató su aventura en el bosque, aunque apenas le habló de la conversación que había mantenido con Shi-Mae, y tampoco mencionó que en aquel momento había descubierto su extraña afinidad con los lobos. El Duque no le preguntó sobre ello. Ankris se había dado cuenta de que los elfos de la ciudad ignoraban hasta dónde llegaban las habilidades de los Centinelas, y les atribuían toda clase de capacidades fantásticas relacionadas con el bosque y sus habitantes. Por otra parte, tampoco los Centinelas habían hecho nada para sacarles de su error.

Ankris percibió que el Duque lo estudiaba ahora con un renovado interés, y el corazón le latió más deprisa.

—De acuerdo, muchacho —dijo finalmente—. Ingresarás como soldado en mi guardia personal. Aunque ahora eres demasiado joven, estoy seguro de que no tardarás en serme útil.

Ankris tuvo que cortarse el pelo y vestir el uniforme con el escudo de la Casa del Río. Las normas en el palacio del Duque eran mucho más estrictas que en la Escuela de Centinelas, y el chico, que no estaba acostumbrado a obedecer aquel rígido protocolo, lo pasó realmente mal al principio. Pero la esperanza de volver a ver pronto a Shi-Mae le daba fuerzas para tratar de adaptarse. Sabía que el Duque le había dado una oportunidad, pero sabía también que tanto él como los oficiales de la guardia lo vigilaban muy de cerca.

Durante un tiempo fue un soldado ejemplar. Jamás se saltaba un turno, siempre llevaba el uniforme impecable y nunca lo encontraban fuera de su puesto. Nadie imaginaba lo mucho que le costaba acatar las órdenes, las normas y los horarios. Por si fuera poco, pronto comprendió que no sería tan sencillo ver a Shi-Mae. Ella estudiaba en la Escuela de Alta Hechicería del Bosque Dorado que, aunque estaba relativamente cerca de allí, a las afueras de la ciudad, tenía por norma mantener internos a sus aprendices más jóvenes. Shi-Mae solo volvía a casa cuando le daban un día libre o pedía un permiso especial.

Ankris trataba de soportar aquello corriendo al bosque en su tiempo libre para encontrarse con sus amigos, los lobos. Las noches de luna llena eran especialmente salvajes. Ankris corría con los lobos por la espesura, aullaba con ellos, incluso cazaba con ellos, y a veces se sentía como uno más. Como elfo, siempre había respetado la vida de las criaturas del bosque, pero cuando estaba con los lobos le parecía perfectamente lógico y natural salir a cazar ciervos, venados o cualquier animal que se cruzase en su camino, si estaba hambriento.

Tal vez por eso tardó bastante en advertir los sutiles cambios que se producían en su cuerpo las noches de luna llena. Sus sentidos se agudizaban, sus fuerzas se multiplicaban, sus dientes parecían más afilados, su deseo de cazar se hacía más fuerte y el olor de la sangre lo alteraba cada vez más. Sus ojos se iluminaban con aquel brillo salvaje y primario que tanto había asustado a Toh-Ril y sus amigos años atrás. Y ya no le era necesario sentirse en peligro o participar en una pelea para que se produjesen aquellos cambios; invariablemente, todas las noches de plenilunio, hiciera lo que hiciese, algo se transformaba en su interior.

Desde el principio se las arregló para que las noches de luna llena nunca le tocase hacer guardia. No le preocupaban los cambios; lo hacían sentirse fuerte y poderoso. Pero intuía que los otros elfos percibían aquella transformación y no quería llamar la atención en la casa del Duque. Por tanto, nunca contó a nadie lo que hacía por las noches. De día se limitaba a ser el soldado perfecto, y ni siquiera las criadas más chismosas habían llegado a descubrirlo mirando de reojo hacia las ventanas cuando Shi-Mae estaba en casa.

Ankris no le había dicho nada a la altanera hija del Duque, y ella no parecía haber notado que el nuevo soldado de la guardia era aquel jovencísimo Centinela que la había salvado tiempo atrás.

En cierta ocasión, cuando cruzaba el patio cargada de volúmenes y pergaminos para regresar a la escuela, se le cayeron al suelo un par de rollos. Ankris estaba frente a ella y se inclinó para recogerlos.

—No lo hagas —dijo Shi-Mae suavemente—. Son mis hechizos más avanzados y no debe tocarlos un no iniciado. Podrían pasarte cosas terribles.

Ankris no dijo nada, pero la miró a los ojos y, muy lentamente, se agachó para coger los pergaminos a pesar de todo... sin dejar de mirarla.

Shi-Mae no hizo ademán de impedírselo. Sostuvo su mirada con una mezcla de interés, burla y desafío en sus ojos de color zafiro.

La mano de Ankris atrapó los rollos y los alzó del suelo. Nada sucedió.

Con una breve y rígida inclinación, el muchacho se los devolvió a su propietaria, que los recogió sin una palabra.

—Si me lo permitís, señora, llevaré por vos esa carga —dijo Ankris.

—Pero no te lo permito —replicó ella—. Ni siquiera dejo que el hijo del Marqués de los Álamos toque nada que me pertenezca. ¿Por qué debería permitírtelo a ti?

—Porque he tocado vuestros rollos y nada me ha sucedido. Porque nadie debería permitir que una doncella como vos cargue con tanto peso. Y porque yo os lo pido.

Shi-Mae lo miró, entre desconcertada, escandalizada y divertida. Después se encogió de hombros.

—¿Por qué no? —dijo finalmente.

Pasó sus libros a Ankris y continuó su camino hacia el carruaje que la aguardaba en la entrada. El chambelán, que le sujetaba la puerta, miró con reprobación a Ankris, que caminaba tras ella cargado con sus cosas. Con una encantadora sonrisa, Shi-Mae se volvió hacia Ankris para recoger sus libros antes de subir al carruaje.

—Gracias, chico-lobo —le susurró en voz baja.

La portezuela se cerró tras ella y el vehículo partió en dirección a la Escuela del Bosque Dorado, pero Ankris se quedó allí parado todavía un buen rato, arriesgándose a llegar tarde a su puesto por primera vez.

Shi-Mae se acordaba de él, sabía quién era. No lo había olvidado.

Aquella noche, además, la loba de su manada dio a luz cinco preciosos cachorros, y Ankris y sus compañeros lobos lo celebraron en una correría en la que el joven elfo, ebrio de felicidad, se abandonó a la salvaje locura del bosque. Al día siguiente se despertó al pie de un árbol, aterido de frío, y con dificultades para recordar lo que había sucedido. Había restos de sangre bajo sus uñas y en torno a su boca, y supuso que la noche anterior habrían matado algún ciervo para alimentar a los nuevos cachorros. Pero, ¿por qué no lo recordaba?

Sintió miedo por primera vez; miedo de parecerse cada vez más a una bestia. Y se prometió a sí mismo que trataría de moderarse en lo sucesivo.

Hubo más encuentros con Shi-Mae. A veces no se decían nada, y ella lo miraba entre burlona y altanera; pero lo miraba, no cabía duda. Cada vez con mayor frecuencia se le solicitaba para formar parte de su escolta, y alguna vez la acompañó a las mismas puertas de la Escuela del Bosque Dorado, una impresionante edificación cuya estructura de altísimos torreones y esbeltas agujas, que se elevaban sobre un cuerpo central desafiando la gravedad, recordaba a la de un gigantesco árbol. Pero jamás le permitieron entrar con ella.

Apenas hablaban porque siempre había otras personas delante, pero en más de una ocasión las manos de ella rozaban las de él cuando recogía los libros que ella le tendía; y en más de una ocasión sus miradas se habían encontrado en un salón lleno de gente, en las fiestas organizadas por el Duque para que su hija fuese entrando en la alta sociedad. Los más encopetados jóvenes de la nobleza la sacaban a bailar y, sin embargo, los ojos azules de ella se cruzaban con los ojos ambarinos de uno de los guardias que vigilaban las entradas, tan impávidos que cualquiera habría pensado que se trataba de estatuas.

Los años pasaron. Tanto Ankris como Shi-Mae crecieron y cumplieron los cien años, una edad importante para un elfo; y lo que al principio había sido un sentimiento cálido era ahora un fuego abrasador que se avivaba cada vez que la veía. Llegó un momento en que ya no podía soportar con la misma impasibilidad ver cómo ella era cortejada por unos y por otros, mientras que él no tenía ninguna posibilidad de hacer lo mismo, porque sabía que era un plebeyo.

Sin embargo, Shi-Mae no parecía interesada en encontrar pareja o, al menos, no de momento. Su padre se quejaba de que le importaban más sus estudios de magia que sus deberes como hija primogénita de una de las casas nobles más importantes del reino. Y así debía de ser, puesto que en apenas diez años la túnica azul de Shi-Mae pasó a ser de color violeta, indicando una meteórica trayectoria en la Escuela, para tratarse de una elfa. Nadie comenzaba a prepararse para la Prueba del Fuego, el último examen, antes de los ciento veinte años, pero ella empezó a hacerlo a los ciento cinco. Porque los elfos eran más longevos que los humanos y, por tanto, sus vidas transcurrían a un ritmo distinto. Así, Shi-Mae tenía más de cien años y, sin embargo, era todavía muy joven.

Pero, pese a que en apariencia acudía a las fiestas por obligación, lo cierto era que sus fríos ojos azules lo estudiaban todo calculadoramente y sin perder detalle.

También Ankris, que llevaba observándola mucho tiempo, se dio cuenta de ello. Comprendió que era ambiciosa y, por tanto, jamás se conformaría con alguien como él. Pero para entonces también sabía, sin lugar a dudas, que la amaba.

Aquella situación era cada vez más frustrante.

Y una noche de luna llena, una noche en que los lobos aullaban con fuerza desde el bosque —la manada de Ankris había crecido y prosperaba en un refugio entre montañas, no muy lejos de la ciudad, pero a salvo de miradas extrañas—, el joven elfo se disponía a reunirse con ellos cuando vio una sombra blanca en un balcón.

Shi-Mae.

A Ankris le dio un vuelco el corazón. Le pareció que nunca la había visto tan bella como ahora, en camisón, bajo la luna llena. Y, olvidando todas las normas elementales de precaución, trepó hasta aquel balcón.

Shi-Mae se sobresaltó y retrocedió un tanto. Luego lo reconoció y se relajó.

—Ah, eres tú.

Con todo, se sintió algo inquieta. Ankris se había acuclillado sobre la balaustrada, y sus ojos ambarinos presentaban un cierto brillo salvaje. La muchacha lo miró en silencio, dividida entre el miedo y la fascinación.

—Buenas noches, mi señora —dijo él, y su voz sonó ligeramente ronca—. He subido para advertiros de que con esta luna y en este balcón ofrecéis un blanco fácil a cualquiera que tenga intención de secuestraros.

—¿Eso crees? —replicó ella fríamente—. Pues estás equivocado; cualquiera que intente secuestrarme se llevará una desagradable sorpresa.

—¿De veras? —Ankris sonrió de forma inquietante—. ¿Y si ese alguien fuera yo?

Avanzó hacia ella, rápido como el pensamiento. Shi-Mae retrocedió, alzó las manos y pronunció unas palabras en lenguaje arcano.

Una ráfaga de viento surgió de la nada y empujó a Ankris hacia atrás, lanzándolo contra la balaustrada con increíble violencia. El muchacho se agarró en el último momento para no caerse, logró recuperar el equilibrio y sacudió la cabeza, tratando de despejarse. Cuando alzó la mirada vio ante sí a Shi-Mae, triunfal, serena y terrible, pero más hermosa que nunca.

—Te lo advertí —dijo ella.

Ankris se sentó de un salto, pero aún se sentía algo mareado y tuvo que apoyarse en la baranda para no caerse.

—Reconozco mi error, mi señora —murmuró—. Perdonad mi atrevimiento.

Shi-Mae sonrió y se acodó en la balaustrada, junto a él. El brazo desnudo de ella rozó la piel de Ankris, y este se estremeció, como sacudido por una descarga eléctrica. Los lobos aullaban en la lejanía.

—¿Por qué aúllan los lobos a la luna llena? —susurró Shi-Mae.

Ankris sonrió.

—Los lobos no aúllan a la luna llena —dijo—. Aúllan por las noches porque es cuando salen de caza. Habitualmente, para comunicarse con otros miembros de la manada que están lejos. Aunque a veces aúllan solo para manifestar su alegría de vivir.

—¿De verdad? ¿Y qué dicen ahora?

Ankris sonrió de nuevo.

—Veremos —dijo solamente, y aulló.

Shi-Mae retrocedió, asustada, y miró a su alrededor, pero en el palacio todo parecía tranquilo.

—¿Qué estás haciendo? —susurró, irritada—. Si alguien nos ve juntos...

—Escuchad —interrumpió él en voz baja.

Un coro de aullidos respondió a su llamada desde la lejanía.

—¿Los oyes? Vienen de allí —dudó un poco antes de añadir—: Es mi manada.

—¿Tu... manada? —repitió Shi-Mae; no pareció importarle que Ankris la tuteara.

—¿Recuerdas los tres lobos que convertiste en piedra hace quince años? Dos machos y una hembra.

—¿Son esos los que te han contestado?

—No, esos murieron hace tiempo. Los lobos no viven mucho. Pero estos son sus descendientes. Sobrevivieron tres de sus hijos, que a su vez tuvieron nuevos cachorros, y se nos han unido cuatro más. Dos de las hembras están preñadas de nuevo. La familia crece —añadió, con una sonrisa.

Efectivamente, aquel grupo de animales se había convertido en su segunda familia, pero también era para él como una pandilla de amigos con quienes compartir las salvajes noches de plenilunio. Ankris los veía nacer, crecer y morir, puesto que sus cortas vidas no podían compararse con la larga existencia de él, pero no lo lamentaba, porque los momentos que pasaba con ellos eran tan plenos y maravillosos que cada segundo valía por una eternidad. Los lobos lo habían aceptado como líder, a pesar de que no era uno de ellos, quizá porque se habían acostumbrado a él, y también por el hecho de que el elfo había estado a su lado prácticamente desde su nacimiento.

—Eres un chico extraño —murmuró Shi-Mae.

—Ya me lo habían dicho —confesó él.

Se miraron a los ojos. Quizá fue la luna llena, o los aullidos de los lobos en la lejanía, o el brillo en los ojos de Shi-Mae, o aquel camisón tan blanco que relucía en la noche...

Ankris no pudo evitarlo. Se inclinó hacia ella y la besó.

Shi-Mae se puso rígida al principio, pero luego se abandonó al primer beso, torpe pero lleno de ternura, del joven elfo de los bosques. Lo rodeó con los brazos y sus dedos acariciaron su pelo cobrizo, encontrándolo sorprendentemente suave.

Sin embargo, cuando los dos se separaron, jadeantes, ella lo miró con furia.

—¡Pero cómo te atreves! ¡Márchate de aquí o llamaré a los guardias!

Reprimiendo una sonrisa, Ankris se inclinó ante ella.

—Como desees, mi señora. Buenas noches.

Se encaramó a la balaustrada de un salto y desapareció en la noche, loco de felicidad. A pesar de las maneras de doncella ofendida que había manifestado Shi-Mae, Ankris había leído en sus ojos la promesa de nuevos besos.

Corrió al bosque a reunirse con los lobos. Con el sabor de los labios de Shi-Mae todavía en su boca, Ankris lideró una cacería como no se recordaba en aquel lugar. Descubrieron un grupo de ciervos y atacaron al ejemplar que parecía más débil, una vieja hembra que se movía con lentitud. Mientras corría tras ella, recordando los ojos de Shi-Mae y aquel beso bajo la luna llena, Ankris notó que algo nuevo y a la vez extrañamente familiar recorría sus venas. Se sintió más fuerte, más ágil, más seguro, y se puso a cuatro patas para perseguir a su presa.

Y entonces, de pronto, apareció el dolor.

Lo recorrió de arriba abajo, torturándole, abrasándole las entrañas. Ankris se detuvo en seco y aulló, pero el dolor seguía sacudiéndolo por dentro. Se dejó caer al suelo y rodó por la hierba, mientras algo terrible lo devoraba, algo que lo transformaba de dentro hacia fuera, algo que destruía su naturaleza de elfo lenta pero inexorablemente.

Rodó hasta el río, gritando agónicamente, pero tampoco el agua pudo calmar el dolor.

Y aquello que lo consumía por dentro salió por fin al exterior y comenzó a transformarlo por fuera.

La piel se le cubrió de espeso vello color castaño rojizo, los dientes se le alargaron, las manos se le convirtieron en garras y su rostro se transformó en un hocico.

Lo último que vio antes de perder el sentido fue su imagen en el agua, la imagen de un enorme lobo de ojos que brillaban como brasas, llenos de furia asesina.

V

CONSECUENCIAS

AQUELLA NOCHE, EL BRUJO regresó tarde a su cabaña. Solía salir después del anochecer para recoger las plantas que necesitaba para sus pócimas, brebajes y remedios. Algunas multiplicaban sus propiedades si las recogía bajo la luz de la luna.

Antes de entrar en casa supo que alguien lo aguardaba oculto entre la maleza. Por el rabillo del ojo descubrió un par de ojos rojizos que lo espiaban desde la oscuridad. No pudo evitar dirigir una rápida mirada al cielo, a pesar de que sabía que la luna no era completamente redonda aquella noche. Se volvió hacia el intruso con cautela.

—Ankris —lo llamó suavemente—. Sal.

El joven elfo abandonó su escondite. Bajo la luna, el brujo pudo ver el brillo, primario y brutal, de su mirada; y también descubrió en su rostro, más allá de su expresión desconcertada, una profunda huella de sufrimiento.

—¿Cómo has sabido que era yo?

—Te esperaba desde hace mucho tiempo. Pasa.

Entró en la cabaña. Ankris dudó, pero finalmente lo siguió.

Aguardó mientras el brujo encendía el fuego y preparaba una infusión. Cuando estuvieron los dos sentados junto a la lumbre, el brujo despegó los labios para decir:

—Ya ha empezado, ¿verdad?

—¿Tú lo sabías?

El brujo asintió.

—Desde antes de que nacieras.

Le habló de la noche en que los licántropos habían mordido a Eilai. Le contó la conversación que había mantenido con su padre, y cómo este había tomado finalmente la decisión de dejarlo vivir.

—Habría hecho mejor matándome —dijo Ankris con amargura tras un breve silencio.

El brujo lo miró.

—Sé que no piensas así en el fondo. Eres demasiado joven como para querer morir.

—No lo entiendes, brujo. Al principio, cuando todavía no me transformaba, era una sensación apasionante. No sé cómo explicarlo, pero me sentía lleno, libre e invencible. Pero ahora...

—La transformación es dolorosa, ¿verdad?

—Una agonía. Pero eso no es lo peor. Hay un momento, sabes, en que pierdes el sentido, en que tu consciencia es absorbida por la mente animal, y es... una impresión espantosa. Te sientes caer, como en un pozo sin fondo, y buscas desesperadamente algo a lo que agarrarte antes de sumirte en la oscuridad. Es verdaderamente aterrador. Es... como si te obligaran a dormir sin saber si vas a despertar. Es como si mi mente muriese cada vez, para resucitar al día siguiente. Y ese instante en que la bestia vence al elfo es mucho peor que el dolor de la transformación. Porque nunca sé si me ha derrotado para siempre.

—¿Cuánto hace que empezó?

Ankris vaciló.

—Llevo tiempo notando los síntomas, pero no sabía que se trataba de licantropía hasta que me transformé completamente por primera vez. De eso hace siete meses.

—¿Tus padres no te habían dicho nada?

—No.

—Imagino que hasta el último momento mantuvieron la esperanza de que no te hubiese afectado.

—Me narcotizaban las noches de luna llena —manifestó Ankris con cierto rencor.

El brujo rió suavemente.

—Sí, lo sé. Yo les proporcionaba la pócima que necesitaban. Pero en el fondo tú ya lo sabías, ¿verdad? Por eso has venido a verme.

—Y porque tú me dijiste que acudiera a ti.

—Entonces lo recuerdas... Pero no puedo hacer por ti nada que no haya hecho ya. Puedo seguir suministrándote el brebaje que te daban tus padres.

—¿Evitará que me transforme?

—Por supuesto que no. Pero te volverá inofensivo hasta que salga el sol.

Ankris titubeó.

—Ya has matado, ¿verdad? —musitó el brujo.

Ankris bajó la cabeza.

—No lo sé —confesó—. Nunca recuerdo lo que hago las noches de luna llena. Pero... he oído que un lobo de gran tamaño ha asesinado a un anciano en las colinas al norte de la ciudad. Es territorio de mi manada, y no tengo en el grupo a un ejemplar tan grande...

—... Excepto tú mismo, ¿no es cierto?

Ankris enterró la cara entre las manos.

—¿En qué me he convertido? —susurró—. ¿Por qué tuvo que pasarme a mí?

—No tengo respuesta a eso, Ankris. Pero sí sé que tienes una posibilidad de llevar una vida más o menos normal... si abandonas la ciudad y regresas aquí, al Anillo.

El muchacho alzó la cabeza rápidamente.

—Jamás —declaró.

—Piénsalo con calma, chico. En el bosque profundo estarás a salvo de la mirada de la gente. Tendrás más lugares donde ocultarte y nos tendrás cerca, a mí y a tus padres, para echarte una mano si hace falta y justificar tus desapariciones las noches de luna llena. Además, necesitarás que te proporcione la pócima periódicamente.

—No me importa venir desde la ciudad a recogerla cuando se me acabe —aseguró Ankris.

—Eres obstinado, ¿verdad? Si no quieres considerar lo que pasaría si te descubriesen, piensa al menos que viviendo en la ciudad pones en peligro a mucha más gente. Incluyéndola a ella.

Ankris alzó la cabeza rápidamente.

—¿Cómo sabes...?

El brujo rió por lo bajo.

—Muchacho, yo también he sido joven. ¿Qué otra cosa podría retenerte en un ambiente al que no perteneces? No voy a preguntarte por tu chica, porque no es de mi incumbencia. Lo único que quiero que me digas, con sinceridad... es si ella lo sabe o no.

—Todavía no —susurró Ankris en voz baja.

—¿Y se lo vas a decir?

Ankris no lo había decidido todavía. Desde la noche del beso en el balcón —la noche de su primera transformación, recordó el joven con un estremecimiento—, la relación entre él y Shi-Mae había avanzado sorprendentemente deprisa para tratarse de una pareja de elfos. Habían seguido viéndose, siempre a escondidas, y sí, había habido más besos y más caricias. Ankris le había dicho que la quería, pero ella no había contestado. El muchacho sabía cuál era el problema: ella y su dichosa sangre azul. Shi-Mae podía estar enamorada también, pero jamás lo confesaría, porque Ankris era un plebeyo y ella era demasiado orgullosa. Y, sin embargo, el chico todavía tenía la esperanza de que, algún día, todo eso no le importaría.

Pero ¿qué sucedería si Shi-Mae se enteraba de que, por si fuera poco, él era un licántropo?

—Comprendo —asintió el brujo, interpretando correctamente su silencio—. Pero verás, Ankris, si lo tuyo con esa joven sigue adelante, ella lo sabrá tarde o temprano. ¿Qué harás entonces?

—¿Cómo voy a saberlo?

Hubo un breve silencio. El brujo se levantó con un suspiro y se dirigió a uno de los estantes de la cabaña.

Recogió de allí una redoma polvorienta, llena de un líquido espeso.

—Lo guardaba para cuando regresaras —dijo—. Toma.
Llévatelo. Un sorbo antes de que salga la luna en la noche
de plenilunio debería bastar. Calculo que con esto tienes
para diez tomas, más o menos. Es decir, diez meses.
Cuando se te acabe, vuelve por más.

Ankris cogió el frasco, aliviado.

—Volveré —prometió, y se levantó para marcharse.

—¿No vas a ir a ver a tus padres?

Ankris vaciló.

—Creo que no estoy preparado aún. Tal vez en otra
ocasión. Ahora he de marcharme, brujo. Muchas gracias
por todo.

—No lo hago por ti —gruñó el brujo—. En siete meses
has matado a muchos elfos, y que tú no lo recuerdes no
cambia el hecho de que están muertos.

Ankris se quedó mirándolo, horrorizado.

—Eso no es verdad —musitó.

—Sí lo es, y lo sabes. El lobo que hay en ti es un asesino.
Y ya lo has dejado suelto siete noches. Acepta la realidad,
muchacho: eres un licántropo, un monstruo. Has tardado
demasiado en acudir a mí. Te he dado una oportunidad
porque hay en ti una parte racional, y porque siento aprecio por tus padres. Pero no cometas ningún otro desliz,
porque no volveré a protegerte. ¿Has entendido?

Ankris regresó a la ciudad muy confuso. El brujo tenía razón: había estado dando la espalda a la realidad, pensando que mientras se encontrase en el bosque no podía hacer daño a nadie; pero en cuanto tuvo una tarde libre hizo averiguaciones y descubrió que a lo largo de los últimos meses habían desaparecido varios elfos misteriosamente, siempre a las afueras de la capital; en la mayor parte de los casos se trataba de gente marginal, o bien elfos que estaban de paso, por lo que casi nadie los había echado de menos en la ciudad.

Ahora, Ankris estaba seriamente preocupado. Una noche salió al bosque a tratar de rastrear sus propias huellas, y llegó a una pequeña cueva semioculta tras unos matorrales.

Lo que vio en ella poblaría sus peores pesadillas durante el resto de su vida. En aquel momento comprendió exactamente lo que el brujo había querido decir, y deseó de todo corazón estar muerto, o simplemente no haber nacido.

No volvió a aquella cueva, pero jamás la olvidó.

Después de aquello, tomó una decisión. Habló con el Duque para abandonar su casa y dejar de estar a su servicio. El Duque lo lamentó, pero no logró hacerle cambiar de opinión. Ankris dejó de ser un soldado de su guardia personal y se instaló en una pequeña cabaña en el bosque, a las afueras de la ciudad. Sabía que eso no lo detendría si volvía a salir de caza una noche de luna llena, pero el bebedizo que le había dado el brujo seguía estando allí, en la alacena, a mano.

Una tarde, Shi-Mae se presentó en la cabaña, hecha una furia, exigiendo saber por qué había abandonado el palacio. Ankris le respondió con un par de vaguedades acerca de regresar a sus raíces, pero no se atrevió a mirarla a los ojos. ¿Qué podía decirle? ¿Que todas las noches tenía una pesadilla en la cual se transformaba en lobo cuando estaba con ella, y la mataba, y la devoraba, y después llevaba sus restos a aquella espantosa cueva del bosque donde había encontrado los cuerpos de los demás elfos desaparecidos?

—Tú estás con otra, ¿verdad?

—Eres la única chica a la que quiero, Shi-Mae. ¿Cuántas veces tengo que decírtelo?

—Entonces, ¿qué te ha pasado? ¿Por qué estás tan cambiado, Ankris? ¿Y por qué te fuiste de viaje sin decírmelo? ¿Adónde fuiste?

—Te comportas como una novia celosa, Shi-Mae, y no sé qué te da derecho a eso. Jamás has hablado de compromiso conmigo.

—¿Compromiso? —soltó ella, estupefacta—. ¿Contigo? ¡Pero si tú eres un...!

«Licántropo», pensó Ankris, aunque sabía que ella había querido decir «plebeyo».

—¿Lo ves? —le espetó—. Mi lugar está en una cabaña ruinosa y no en un elegante palacio. Con una muchacha humilde, y no con la hija de un duque.

No era esta la razón por la que se apartaba de Shi-Mae, pero tampoco era del todo mentira. Hacía años que aquel sentimiento de frustración lo torturaba por dentro.

Shi-Mae retrocedió, pálida, como si acabara de recibir una bofetada.

—¿Eso piensas? Bien —se mordió el labio inferior, pensativa—. Tal vez tengas razón.

Se marchó, y Ankris pensó que no volvería y que la había perdido para siempre. Su desesperación fue tal que muchas noches seguidas aulló a la luna, añorando a Shi-Mae, lamentando la desgracia que se había abatido sobre él.

Solo lo salvó la esperanza de poder controlar a la bestia las noches de luna llena.

Cuando por fin llegó el plenilunio, el joven elfo, muy nervioso, se dispuso a hacer la prueba. Se encerró en su cabaña y aseguró la puerta y las ventanas para cerciorarse de que no sería capaz de salir de allí sin destrozarlas. Y poco antes de la puesta del sol, abrió el frasco con manos temblorosas y bebió un sorbo.

No pudo reprimir una amarga sonrisa. Sabía igual que el «jugo de bayas» que le preparaba su madre cuando era niño.

Salió la luna, y, como todos los meses, Ankris se transformó. Era la octava vez que sufría aquella horrible tortura y pensó que nunca llegaría a acostumbrarse. Gritó de dolor y cerró los ojos mientras el lobo se apoderaba de su cuerpo y lo moldeaba a su imagen. Gritó cuando le crecieron los colmillos y las uñas, gritó cuando su rostro élfico se transformó en un bestial hocico peludo, gritó al sentir su columna doblegándose y obligándolo a ponerse a cuatro patas mientras el vello cubría todo su esbelto cuerpo.

Gritó antes de perder el conocimiento, y se acordó de Shi-Mae, y la sintió lejana y fría como la estrella más distante del universo.

Se despertó al día siguiente con un fuerte dolor de cabeza y miró a su alrededor, algo aturdido. Vio los jirones de sus ropas en el suelo, pero, por lo demás, la cabaña estaba intacta. Las puertas y las ventanas estaban perfectamente aseguradas con tablas, y no presentaban un solo arañazo.

—Ha funcionado —murmuró Ankris—. Anoche no salí de caza. Me quedé dormido.

Se apresuró a quitar las tablas y a salir al exterior. Dejó que el sol acariciase su cuerpo de elfo y dijo en voz alta:

—Te he vencido, lobo. Podrás apropiarte de mi cuerpo las noches de luna llena, pero mi alma sigue siendo mía. No me obligarás a matar de nuevo.

Y sonrió, sintiéndose optimista por primera vez en muchos meses.

Para terminar de mejorar las cosas, Shi-Mae regresó. Le dijo que lo había pensado mejor y que era una buena idea que Ankris viviese en el bosque, puesto que así podrían verse en secreto sin temor a que su padre los descubriese. En otro tiempo, Ankris habría lamentado tener que ser el vergonzoso secreto de Shi-Mae pero, dadas las circunstancias, no le pareció tan grave. Él tenía un secreto mucho más terrible que ocultar.

Hicieron las paces, y la reconciliación fue dulce y apasionada a la vez. Cuando, al atardecer, Shi-Mae regresó a la ciudad, Ankris corrió al bosque a reunirse con su manada para celebrar que, aunque siguiera amando a los lobos, no volvería a ser uno de ellos.

Ankris tampoco salió de caza las siguientes noches de plenilunio. Las desapariciones cesaron, y él se sintió a salvo por un tiempo. Por otro lado, los encuentros entre él y Shi-Mae se hicieron cada vez más frecuentes. Su cabaña no quedaba lejos de la Escuela del Bosque Dorado, y a menudo iba allí a buscarla, oculto entre los árboles, porque su relación seguía siendo secreta.

Y así fue durante algunos años más. Ankris llegó a acostumbrarse a la transformación; el dolor seguía siendo insoportable, pero se entrenó para reprimir los gritos y sufrir los cambios en silencio. Cada diez meses regresaba al Anillo a ver al brujo y a recoger la pócima que él le preparaba. Algunas veces, sus pasos lo llevaban cerca de la casa de sus padres en lo alto del árbol, pero nunca se atrevió a presentarse ante ellos de nuevo. Cada vez que pretendía hacerlo acudía a su memoria la expresión horrorizada de su padre la noche en que había escapado de casa, y no podía evitar preguntarse cómo reaccionaría si lo viese completamente transformado.

No, ya no pertenecía a aquel lugar. Su hogar se encontraba en su cabaña, en el bosque que rodeaba la ciudad de los elfos, con sus lobos, con Shi-Mae.

Sin embargo, todavía no se había atrevido a confesarle la verdad. Justificaba sus viajes al Anillo diciendo que regresaba a visitar a sus padres, y hasta aquel momento había logrado poner toda clase de excusas para no tener que encontrarse con ella una noche de luna llena.

A pesar de todo, Ankris empezaba a pensar que podría llegar a ser feliz algún día.

Una tarde, cuando ambos estaban juntos en el bosque en uno de sus lugares favoritos, sentados sobre la hierba junto a un arroyo, Shi-Mae apoyó la cabeza en su pecho, suspiró y dijo:

−¿Qué me has hecho?

−¿Cómo? −el chico la miró sin comprender.

−Yo debía casarme con un joven de buena familia −explicó ella en voz baja−. Heredar el ducado, perpetuar la noble sangre de mi estirpe. Y había buenos candidatos, no creas. Pero entonces llegaste tú y...

El corazón de Ankris empezó a latir más fuerte. Ella lo notó y sonrió.

−Nunca pensé que diría esto −susurró−. Pero me he enamorado de ti, chico-lobo.

Ankris se quedó sin aliento. Se miraron, y él vio en sus ojos que lo que decía era cierto. Se besaron. Cuando se separaron, él le dirigió una triste sonrisa.

−¿Y qué se supone que haré yo cuando te cases con un joven de buena familia, Shi-Mae?

En los ojos de ella apareció un destello de rebeldía.

−Me casaré con quien yo quiera, ¿qué te has creído?

−¿Y me quieres a mí?

Shi-Mae titubeó. Se abrazó a él, y Ankris advirtió que estaba temblando.

—Eres tan diferente a todos los elfos que conozco... Me di cuenta en seguida, la noche en que nos conocimos. Hay... algo extraño en ti, algo fascinante que me atrae y que hace que los demás sean espantosamente aburridos comparados contigo. Sí, Ankris, te quiero a ti, y te querré siempre, te lo juro. Pero mi padre jamás aprobaría nuestra relación.

—Entonces escapémonos juntos —propuso Ankris, dejándose llevar por el entusiasmo—. Iremos lejos, donde no nos encuentren. Viviremos en el bosque y...

—¿Y vas a llevar a una chica como yo a vivir al bosque como una salvaje? —sonrió ella—. ¿Tienes idea de a todo lo que tendría que renunciar? Sí, puedo vivir sin lujos, pero no puedo vivir sin la magia.

—Ah. Tu examen —recordó Ankris.

—No es un examen cualquiera, es la Prueba del Fuego, ¿comprendes? Es el último grado antes de llegar a ser investida como hechicera de primer nivel. Y no lo conceden a cualquiera. Por eso todos los que se presentan deben saber que se juegan no solo la túnica roja que los señalará como magos consagrados, sino también... la vida.

Ankris se estremeció. Shi-Mae le había contado que la Prueba del Fuego era un examen muy peligroso para los aprendices que se presentaban a él; nadie sabía exactamente en qué consistía porque a los magos que lo habían superado no les gustaba hablar de ello, pero se sabía que algunos habían llegado a morir en el intento.

—No comprendo por qué es tan importante para ti, Shi-Mae. ¿Cómo puedes pensar siquiera en arriesgarte de esa manera?

—Cuando empiezas no es más que un juego; pero luego se convierte en algo apasionante, y cada vez deseas saber más y más... Pero hay otra cosa. Verás, de pequeña me llevaron lejos a estudiar. Estuve en la Escuela del Lago de la Luna; pero cuando llegué al tercer grado, mis resultados eran tan brillantes que mis Maestros decidieron cambiarme de Escuela y enviarme a la Torre a estudiar.

—¿La Torre? —repitió Ankris.

Shi-Mae asintió.

—La Torre es una Escuela de Alta Hechicería situada en un remoto valle. Y es el lugar más increíble que he conocido. Está repleto de Magia de la Tierra, poderosa y antigua. Así, mientras la Escuela del Bosque Dorado recoge desde sus cien torreones la Magia del Cielo, sutil y delicada, apta para hechizos más complejos y elaborados, la Torre posee una magia más tosca y simple, pero mucho más poderosa.

»Y este lugar está dirigido por una gran Archimaga humana. La llaman la Señora de la Torre. Su fama ha llegado a cada rincón de los Siete Reinos y su poder no tiene rival.

»La admiré desde el primer momento y quise ser como ella. Si una humana es capaz de llegar a ser Archimaga y conseguir todo lo que ella ha logrado... ¿qué no podría conseguir yo? Pero entonces llegó un mensaje de mi padre diciendo que podíamos regresar a casa, que el Reino de los Elfos tenía una nueva heredera y nuestro exilio, por tanto, había terminado. Y obedecí; sin embargo, jamás he podido olvidar mi corta estancia en la Torre, y tampoco a la que iba a ser mi Maestra. Mi sueño siempre ha sido llegar a ser como ella, la Señora de la Torre, e incluso superarla en magia y saber. ¿Tú no tienes un sueño, Ankris?

—Sí —el muchacho se puso serio de pronto—. Llevar una vida tranquila, ser feliz a tu lado, formar una familia.

—¿Y ya está? ¿Esa es toda tu ambición?

—Dadas las circunstancias, creo que no es poca cosa —murmuró Ankris.

Shi-Mae creyó que se refería al hecho de que ambos pertenecían a clases sociales diferentes.

—No te preocupes, creo que puedo arreglar eso. Solo dame un poco de tiempo.

Aunque Ankris se mostró intrigado, Shi-Mae no dio más detalles.

Días más tarde entró en la cabaña con un pesado volumen que dejó caer sobre la mesa.

—¡Lo he encontrado! Mira esto. Puede ser la solución a nuestros problemas.

—¿Qué es? —Ankris se acercó y leyó el lomo del libro—. ¿Genealogía de los elfos?

—Sabía que tu nombre me resultaba familiar —declaró Shi-Mae, pasando las páginas—. No he tenido mucho tiempo para trabajar en esto porque he estado ocupada preparando la Prueba del Fuego, pero por fin lo he encontrado. Aquí dice que hace algunos milenios el Conde An-Halian, hijo menor de la Casa Condal de los Robles, abandonó el Reino de los Elfos y corrió diversas aventuras por el mundo. Cuando por fin regresó, se negó a vivir en el palacio de su familia y se unió a los Centinelas que vigilan las fronteras de nuestro reino. Su padre, furioso, no quiso saber más de él. ¿Cómo se llama tu padre?

—Anthor.

—An-Thor, querrás decir. Y tú eres An-Kris. La primera sílaba de tu nombre indica tu apellido familiar. Mi padre es Shi-Yun, y yo soy Shi-Mae. Todos los nombres de nuestra familia empiezan igual.

—¿Quieres decir que desciendo de condes?

—No exactamente. Verás, no creo que el tuyo sea un apellido tan extraño, así que podría ser solo una casualidad. Pero, en cualquier caso, nos aprovecharemos de ello. El viejo Conde de los Robles perdió a su único hijo varón cuando era niño. Le encantará saber que tiene un joven pariente lejano al que no conocía. Y en cuanto a mi padre, creo que le caes bien y, además, siempre hace lo que yo quiero. La única excusa que podría ponerme es que no eres de noble cuna, pero ya ves, podemos arreglar eso.

—¿Y si no es verdad que desciendo de An-Halian?

—¿Pero es que no lo entiendes? ¡Eso es lo de menos!

—¿Entonces... es que pretendes engañar a todo el mundo?

—¿Y por qué no? ¿Qué mal hay en eso? Podría ser cierto, ¿no?

Shi-Mae le habló de un futuro para los dos, un futuro en el que no les faltaría de nada, en el que él sería un apuesto noble y ella una poderosa Archimaga. El muchacho, que la

quería sinceramente, se dejó llevar por su ilusión y sus fan-
tasías y olvidó deliberadamente las advertencias del brujo.
Aquel hermoso porvenir que se abría ante él era demasiado
brillante como para dejarlo escapar. Y el hecho de que Shi-
Mae estuviera incluida en él hacía que mentir sobre sus
orígenes no supusiera ningún obstáculo.

VI

LA PRUEBA DE SHI-MAE

—Me han dicho que te vas a casar —dijo el brujo—. Nada menos que con la hija de un Duque. La misma de la que, si no recuerdo mal, quedaste prendado cuando no eras más que un mocoso y la viste pasar en su carruaje, camino del exilio.

—Así es.

—Desde luego, eres obstinado si la has conseguido a pesar de todo. ¿Le has contado la verdad?

—Todavía no, pero...

—¿Y hasta cuándo vas a esperar? ¿Vas a confesárselo la noche de bodas? Te advierto que he oído que ahora en la capital está de moda casarse en una noche de plenilunio.

—Creía que te alegrarías por mí —replicó el joven ácidamente.

—¿Se lo has dicho a tus padres, Ankris?

—An-Kris —corrigió él, separando exageradamente las sílabas.

—Tu parentesco con los Condes de los Robles no ha sido probado todavía, An-Kris —pronunció el nombre con cierta sorna, pero el joven no se alteró.

—Sí, he hablado con mi madre. Mi padre no quiere verme. No lo he visto desde la noche en que escapé de casa.

—Siempre había odiado con todas sus fuerzas a los licántropos. Tú has ido a la Escuela de los Centinelas. Sabes que os enseñan a disparar a un licántropo en cuanto lo tenéis a tiro. No le hizo gracia darse cuenta de que aquel hombre-lobo al que no pudo matar le había ganado la partida, convirtiéndote a ti, su único hijo, en uno de ellos. Hubo un breve movimiento en la ventana, pero ninguno de los dos lo advirtió.

—Toma —el brujo le tendió una botellita que estaba menos llena de lo habitual—. Se me han acabado las flores de anagálide y no podré preparar más hasta el verano, cuando broten de nuevo. No olvides que tendrás que venir antes de lo previsto. Siete meses esta vez. ¿Me has entendido?

Ankris asintió, guardándose la redoma en la bolsa. Cuando se disponía a salir de la cabaña, el brujo llamó su atención de nuevo.

—Ah... An-Kris...

—¿Sí?

—Felicita a la novia de mi parte —dijo el brujo con sarcasmo.

—Mañana me presento a la Prueba del Fuego —dijo Shi-Mae.

Ankris la miró con cierto temor.

—¿Estás segura de que quieres hacerlo?

—Sí. Pero estoy nerviosa. ¿Puedo quedarme aquí esta noche?

—No.

La réplica fue demasiado cortante y Ankris se arrepintió en seguida de haber sido tan brusco. «Esta noche es luna llena», quiso decirle. «Me transformaré en un lobo gigantesco y salvaje y voy a tener que tomar un narcótico para perder el sentido y no asesinar a nadie». Se estremeció. No podía decírselo así, pero tendría que confesárselo en algún momento, antes de la boda. No ahora, sin embargo. Nada debía turbarla en la víspera del examen más importante de su vida.

—No —dijo con más suavidad—. No quiero distraerte. No me lo perdonaría si algo saliera mal. Además, debes descansar, y si te quedases aquí, no dormirías. Esta cama es muy incómoda.

Aunque a muchos les parecía extraño, Ankris seguía viviendo en su cabaña en el bosque. Pronto él y Shi-Mae tendrían su propia casa en la ciudad, pero por el momento él quería seguir fiel a sus costumbres, al menos hasta la boda.

Ella se relajó un tanto.

—Tienes razón —dijo.

—Quiero darte una cosa —dijo entonces Ankris.

Sacó del cajón un pequeño estuche forrado de terciopelo y se lo tendió.

—Pensaba dártelo como regalo por aprobar el examen, pero no puedo esperar y, además, puede que te dé suerte

—explicó, con algo de timidez, mientras Shi-Mae lo abría, ilusionada.

Sacó de la cajita una fina cadena de oro que brillaba bajo el sol del atardecer. De la cadena pendía un colgante de oro en forma de corazón, con las iniciales A.K. y S.M.

—Oh, An-Kris... —murmuró ella, con un brillo especial en la mirada—. Es precioso. Te habrá costado una fortuna.

Cualquiera de las joyas de Shi-Mae costaba al menos diez veces más que aquel sencillo colgante, pero Ankris seguía sin poseer más dinero que el que había ahorrado cuando trabajaba para el Duque, y ella lo sabía. Después de la boda, la dote de Shi-Mae bastaría para que pudieran vivir holgadamente durante dos siglos por lo menos, pero, aunque ella le había dicho que no era decoroso que un noble trabajase, él ya había manifestado su firme intención de encontrar un empleo.

Mientras tanto, sin embargo, todo lo que poseía seguía estando en aquella cabaña.

—Hacía mucho tiempo que deseaba hacerlo —dijo Ankris con ternura, mientras le abrochaba el colgante en torno al cuello—. Desde la primera vez que te vi.

—¿Te refieres a la noche de los lobos, en el bosque?

—No —sonrió él—. Mucho antes.

Cuando Shi-Mae se marchó, dejándolo solo, Ankris se preguntó si él mismo sería capaz de dormir, a pesar del somnífero. Su prometida era una aprendiza muy hábil, pero no sería considerada maga hasta que no superase la Prueba del Fuego. Llevaba años estudiando el Libro del Fuego, su último manual básico de hechizos, y Ankris había sido testigo de lo que era capaz de hacer. Pero la Prueba del Fuego seguía siendo un examen muy arriesgado, incluso para los aprendices más prometedores.

Con un suspiro, Ankris se sentó junto a la ventana a contemplar cómo el cielo se oscurecía poco a poco. Oyó los aullidos de los lobos en la lejanía. «Esta noche no, amigos», pensó, con una sonrisa. Aún pensando en Shi-Mae, se levantó para coger el frasco con el narcótico, mientras empezaba a sentir a la bestia despertando en su interior. «Cuando Shi-Mae sea hechicera, antes de la boda, se lo contaré. No es necesario que me vea transformado. Siempre puedo venir a la cabaña las noches de plenilunio y...».

Sus pensamientos se quedaron congelados un horrible instante.

El frasco estaba prácticamente vacío.

Horrorizado, recordó que, siete meses atrás, el brujo le había advertido de que la redoma llevaba menos cantidad aquella vez porque la cosecha de anagálide había sido inferior a la del año anterior. Debería haber regresado al Anillo semanas atrás, pero se le había olvidado por completo.

«El mes pasado casi me sorprendió el anochecer antes de llegar a la cabaña y, con las prisas por tomarme el somnífero, no me di cuenta de que el frasco estaba casi vacío», pensó el joven aterrado. «Y jamás se me habría pasado por la cabeza ausentarme de la ciudad ahora que Shi-Mae va a presentarse a la Prueba del Fuego». Presa del pánico, bebió lo que quedaba en el frasco, apenas unas gotas, y aguardó un buen rato con la botella en alto, esperando que cayeran unas gotas más. Cerró los ojos con desesperación. «Que sea suficiente, que sea suficiente...».

Por si acaso, decidió atrancar puertas y ventanas. Dado que el somnífero funcionaba tan bien, hacía tiempo que había dejado de hacerlo. Se dirigió a la puerta, tambaleándose, y logró clavar algunas tablas. Repitió la operación con las dos ventanas y, cuando estaba asegurando la última tabla, un agudo dolor lo atravesó como si de mil puñales de fuego se tratase. Se dejó caer de rodillas sobre el suelo y jadeó. Era más doloroso de lo que recordaba, y pensó, con horror, que tal vez eso se debía a que el narcótico no estaba actuando con la misma eficacia que de costumbre. Cerró los ojos y se tumbó en el suelo, encogiéndose sobre sí mismo. Fuera era ya de noche. La luz de la luna llena se filtraba por los resquicios de las ventanas.

El dolor regresó. Ankris se contuvo para no gritar, y gruñó por lo bajo. Se dio cuenta de que sus colmillos habían crecido de nuevo. «Por favor, que haga efecto, que haga efecto...», pensó, desesperado. Pero se sentía más despejado que de costumbre, y notaba que, en lo más recóndito de su mente, la bestia luchaba por salir al exterior y resarcirse de tantos meses de encierro.

Un nuevo espasmo sacudió el cuerpo de Ankris, que echó la cabeza hacia atrás y gimió de dolor.

Y entonces, alguien llamó a la puerta.

—¿An-Kris? —dijo la voz de Shi-Mae desde el exterior—. Yo... he cambiado de idea. No me importa dormir en tu cama. No podía dormir, y me preguntaba si... ¿An-Kris?

Ankris respiró hondo, horrorizado. Aquello no podía estar pasando. Decidió no responder, y deseó con todas sus fuerzas que Shi-Mae se marchara antes de que concluyese la transformación.

—¿An-Kris? —insistió ella—. Sé que estás en casa. ¿Qué pasa? ¿Por qué no abres la puerta?

A Ankris se le escapó un gruñido bajo.

—¡An-Kris! ¿Qué haces? ¿Es que estás con otra?

—Shi-Mae, por favor —murmuró él con voz ronca—. Márchate, por lo que más quieras. Te lo suplico.

—¿Qué sucede? —la voz de ella era ahora preocupada—. ¿Estás bien?

—N-no puedo abrir la puerta, Shi-Mae.

Una nueva convulsión alteró nuevamente sus rasgos. Ankris gimió de dolor. Se miró las manos y las vio cubiertas de vello y con los dedos convertidos en garras.

—Te prometo que mañana te lo contaré todo. Pero ahora confía en mí y vete a casa...

—An-Kris, no pienso marcharme. Si estás enfermo, puedo curarte con mi magia y...

—¡No puedes hacer nada por mí! ¡Vete, te lo suplico!

Las últimas palabras de Ankris terminaron en un prolongado aullido. Hubo un breve silencio y, por un momento, el joven pensó, aliviado, que Shi-Mae se había marchado. Pero entonces se oyó su voz de nuevo al otro lado de la puerta.

—An-Kris, voy a entrar.

Él la oyó susurrar algunas palabras en idioma arcano, el lenguaje de la magia.

—¡Shi-Mae! —logró gritar, con voz ronca—. ¡No! ¡Nooo!

Hubo una explosión, y la puerta salió volando, destruida por una bola de fuego. Cuando Ankris pudo volver a mirar vio, entre el humo, la esbelta figura de Shi-Mae apoyada contra lo que quedaba del quicio de la puerta, respirando con dificultad, cansada por el esfuerzo de conjurar el fuego. La oyó toser y preguntar:

—¿An-Kris? ¿Dónde estás?

Y, aunque una parte de él quiso gritarle que se marchara, que saliera huyendo, su instinto animal lo impulsaba a saltar sobre ella y devorarla. Trató de levantarse, pero el dolor volvió de nuevo y lo hizo caer de rodillas al suelo.

La luz del farol de Shi-Mae bañó la figura de Ankris.

—Por todos los... —susurró ella—. ¿Qué...?

Ankris alzó la cabeza y la luz iluminó sus rasgos.

—¡Vete, Shi-Mae! —aulló.

Ella retrocedió, muda de terror, sin poder apartar la vista de su rostro semianimal.

—¿An-Kris? —lo comprendió de pronto y sus pupilas se dilataron de terror—. No puede ser. No puede ser. No, tú no...

—Vete —gruñó Ankris, y saltó hacia ella.

En pleno salto se consumó la transformación, y la mente racional del elfo quedó sepultada bajo el instinto de la bestia.

Shi-Mae chilló.

Ankris se despertó en el bosque, acurrucado bajo un árbol. La luz del sol se filtraba entre las hojas de los árboles y le acariciaba el rostro. El joven parpadeó, confuso y desorientado. Entonces, de pronto, recordó lo que había pasado la noche anterior y se levantó de un salto. Miró a su alrededor, pero todo parecía estar en orden.

—¿Shi-Mae? —murmuró.

Lo último que recordaba era haber saltado sobre ella para devorarla. Regresó corriendo a la cabaña, sin querer siquiera imaginar qué habría ocurrido si sus peores pesadillas se hubieran hecho realidad. Cuando llegó allí, sin aliento, descubrió la puerta destrozada, y recordó que Shi-Mae la había echado abajo con su magia. Eso lo tranquilizó un tanto. Ella no era una niña desvalida, sabía defenderse...

Aunque Shi-Mae no estaba allí, tampoco había rastros de sangre en el suelo. Ankris aprovechó para vestirse mientras pensaba en su siguiente movimiento.

Lo primero que haría sería acudir a la casa del Duque y ver si Shi-Mae se encontraba bien.

Por el camino se le ocurrió que, si Shi-Mae había dicho que la había atacado, la guardia del Duque lo apresaría inmediatamente. Pero debía correr el riesgo. Necesitaba saber si ella estaba a salvo.

Halló el palacio del Duque extrañamente silencioso y vacío. El chambelán le informó de que Shi-Mae no había regresado a casa. El Duque había partido de mañana, serio y pálido, y no había dicho a nadie adónde iba.

Temiéndose lo peor, Ankris regresó al bosque y rastreó la zona en busca de Shi-Mae, pero no la encontró. Tardó un poco en decidirse a acercarse a la horrible cueva donde, tiempo atrás, había descubierto a las víctimas de su lado bestial. Si había matado a Shi-Mae...

Emprendió el camino, rogando para sus adentros no encontrarla allí. Sin embargo, cuando apenas le faltaba un trecho para alcanzar la cueva, comprendió que no tendría valor para asomarse a su interior. Se detuvo y respiró hondo, tratando de pensar. Aunque él se encontraba físicamente bien, eso no significaba que Shi-Mae no hubiese tratado de defenderse. Sabía que mientras se hallaba transformado había pocas cosas que pudieran herirlo. Pero Shi-Mae, pensó de nuevo, era una maga y sabía controlar el fuego. Lo había demostrado la noche anterior...

De pronto, Ankris lo recordó. ¡La Prueba del Fuego! ¿Cómo había podido olvidarlo?

Evidentemente, si Shi-Mae seguía viva, solo había un sitio donde podía estar: la Escuela del Bosque Dorado.

No le permitieron ver a Shi-Mae. El joven hechicero que recibió a Ankris le explicó pacientemente que la muchacha estaba realizando la Prueba del Fuego y, por supuesto, no se la podía molestar. Ankris insistió, pero fue en vano. Los magos parecían estar acostumbrados a que los preocupados familiares de los aprendices que se presentaban a la prueba tratasen de obtener información sobre los jóvenes. Ankris vio al Duque caminando intranquilo, arriba y abajo, en una sala de espera, pero no se atrevió a entrar a saludarlo. Dio media vuelta y salió del edificio.

Ellos no lo comprendían. No se trataba solo de la Prueba del Fuego. La noche anterior, Shi-Mae había sido atacada por un licántropo. Por su prometido, para más datos. Necesitaba verla a toda costa, hablar con ella, saber cómo se encontraba, aunque, por lo visto, ella estaba viva y lo suficientemente bien como para presentarse al examen, lo cual no dejaba de ser un alivio.

Rodear el inmenso edificio le llevó más tiempo del que había supuesto, pero finalmente descubrió una posible entrada. Unas enredaderas trepaban por el muro norte de la escuela y llegaban hasta un saliente al que, con un poco de esfuerzo, podría llegar a encaramarse. No sería difícil para él trepar desde allí hasta la ventana más cercana.

La primera parte fue sencilla. Pero, cuando sus dedos rozaron la piedra del edificio, algo parecido a una descarga sacudió su cuerpo y lo hizo soltarse. Ankris reaccionó a tiempo, volviendo a sujetarse a la enredadera para no caerse. Después de varios años de noviazgo con una estudiante de hechicería, había aprendido lo suficiente como para deducir que la Escuela estaba protegida por un conjuro. Apretó los dientes y sacudió la cabeza. Nadie iba a impedirle ver a Shi-Mae. Nadie.

Respiró hondo y saltó hacia la pared. Se sujetó a la cornisa con las dos manos y el hechizo de protección lo golpeó de nuevo. Ankris se sobrepuso al dolor y, tratando de ignorarlo, subió hasta el siguiente saliente y prosiguió la ascensión.

Cuando llegó hasta la ventana tenía todo el cuerpo dolorido, pero, aparte de eso, estaba bien. Se coló en el interior de la Escuela, con precaución, y miró a su alrededor. Se encontraba en un pasillo alfombrado y de paredes cubiertas por ricos tapices. Ante él había una serie de puertas, pero todas estaban cerradas. No parecía haber nadie cerca. Sin saber muy bien dónde empezar a buscar, Ankris echó a andar pasillo abajo, con cautela.

Recorrió el edificio y, por fortuna, nadie llegó a verlo. Seguía poseyendo las habilidades que habían llamado la atención del Capitán de los Centinelas cuando era niño, y podía ser sigiloso como una sombra y extraordinariamente rápido si hacía falta. Se topó con varios aprendices e incluso con algún mago, ataviado con túnica roja, pero en todas aquellas ocasiones logró ocultarse a tiempo tras una cortina o en el interior de una habitación vacía. Algo le decía que debía dirigirse al corazón de la escuela, y por ello avanzó cada vez más hacia el interior, alejándose de las ventanas. Por fin, su audacia fue recompensada. Cuando atravesaba un enorme y elegante salón, oyó un revuelo un poco más abajo y se ocultó tras un tapiz. En seguida entraron en el salón dos magos que acompañaban una camilla que levitaba a varios palmos del suelo. Sobre la camilla había una muchacha elfa gravemente herida, que presentaba diversas quemaduras en el rostro y en las manos. Ankris los vio desde su escondite cuando pasaron ante él, y se contuvo para no gritar.

La joven era Shi-Mae.

Se disponía a seguir a la comitiva cuando alguien más entró en la sala. Ankris, devorado por la impaciencia, volvió a esconderse, justo a tiempo de evitar que lo descubriesen los dos magos que acababan de cruzar la puerta.

–Ha sido un día duro –comentó uno de ellos–. Sigo sin estar convencido de que fuera buena idea dejar que se presentase a la Prueba antes de tiempo.

–Ciertamente –respondió una voz femenina–. Por fortuna, es una joven muy talentosa. Me pregunto, sin embargo, por qué hoy estaba tan alterada.

Ankris frunció el ceño. La persona que acababa de hablar tenía una voz suave y serena, pero de acento muy extraño, tosco y hasta cierto punto desagradable, comparado con la melodiosa voz de los elfos.

–De modo que vos también lo habéis notado. He estado a punto de suspender la prueba.

–Eso no habría sido propio de vos, Archimago. Por mucho que apreciemos a nuestros aprendices, es necesario que los tratemos a todos por igual. Cuando uno de ellos decide someterse a la Prueba del Fuego no hay vuelta atrás.

–Tenéis razón –suspiró el Archimago–. Bajaré a decirle al Duque que su hija ha superado la Prueba del Fuego y que estará bien en cuanto le hayamos aplicado los hechizos de curación pertinentes. ¿Deseáis acompañarme?

–Preferiría esperaros aquí, si no es molestia. Hoy me siento un tanto fatigada. Los conjuros rejuvenecedores funcionan solo hasta cierto punto.

—Olvidaba que vos ya no sois joven, de acuerdo con los cánones de vuestra raza. Me temo que llevo demasiado tiempo sin salir de esta Escuela, y a menudo suelo olvidar que las décadas no transcurren igual para los humanos. Aguardad aquí, pues. No tardaré.

Ankris oyó el susurro de una túnica alejándose y contuvo el aliento. Se estaba preguntando si valía la pena correr el riesgo de asomarse, cuando, súbitamente, el tapiz que lo ocultaba desapareció sin dejar rastro, y él se encontró, cara a cara, con una mujer humana vestida con una refulgente túnica dorada.

Los dos se miraron. Por lo que Ankris sabía, la túnica dorada era el símbolo de los Archimagos, los hechiceros más poderosos. Ankris no sabía quién era aquella mujer humana ni qué hacía allí, pero lo que sí estaba claro era que no había logrado engañarla ni ocultarse de ella.

—Disculpad, señora —murmuró—. No... no pretendía espiaros. Sé que no debería estar aquí, pero... estaba buscando a alguien y...

—Esta Escuela está protegida por un hechizo muy poderoso —dijo ella con suavidad—. ¿Cómo has entrado?

—Trepando por el muro.

Los ojos de ella se ensombrecieron levemente.

—Deberías estar muerto.

Ankris bajó la cabeza. Estaba tan cansado y tan asustado que no tuvo fuerzas para inventar una mentira convincente.

—Yo... no soy un elfo como los demás.

—Ya lo sé. Mírame.

Ankris obedeció. La Archimaga era mucho más baja que él, pero su majestuosa presencia lo cohibió hasta el punto de hacerle sentirse un niño pequeño e indefenso ante ella.

—No eres como los demás, joven elfo, por dos motivos. Uno lo conoces; el otro, no. Puedo sentir la bestia que late en tu interior, pero te aseguro que no es eso lo que te ha ayudado a trepar por el muro de esta Escuela.

—¿Qué... qué queréis decir?

—No tardarás en descubrirlo. Pero ahora, querido muchacho, debes marcharte. Pronto regresará el Archimago, y dudo que él sea tan benevolente como yo. Antes de despedirme, sin embargo, te diré una cosa: si en algún momento de tu vida no tienes ningún lugar adonde ir, ven a la Torre, en el Valle de los Lobos —hizo una pausa, y luego añadió—: Pregunta por Aonia, la Señora de la Torre. Te estaré esperando.

Ankris, sorprendido, abrió la boca para decir algo, pero la Señora de la Torre hizo un gesto con la mano y, de pronto, todo comenzó a dar vueltas...

Aquella tarde acudió a casa del Duque para hablar con Shi-Mae. Aún seguía confuso con respecto a lo de aquella mañana. Después de su incursión en la Escuela del Bosque Dorado había despertado en el bosque, aturdido, y ya no estaba seguro de haber vivido aquella experiencia realmente. Desde luego, pensaba preguntarle a Shi-Mae si la Señora de la Torre, la poderosa Archimaga, a quien ella tanto admiraba, había estado presente en su examen; pero no era aquel el principal motivo por el que quería hablar con ella. Por encima de lo que hubiese ocurrido en la Escuela, Ankris deseaba saber qué había sucedido la noche anterior, en el bosque, cuando el lobo que llevaba dentro se había apoderado de él.

En contra de lo que esperaba, Shi-Mae accedió a hablar con él sin poner reparos. Cuando se presentó en la sala donde Ankris la esperaba, el muchacho no pudo evitar un estremecimiento; ella ya estaba completamente repuesta de las quemaduras —no cabía duda de que los magos curanderos habían hecho un buen trabajo—, y lucía la túnica roja que la señalaba como hechicera. Pero en sus ojos había algo parecido a un soplo de hielo.

—Vayamos al jardín trasero —dijo ella—. Me debes una explicación.

Y Ankris comprendió que, aunque Shi-Mae tuviese miedo de él, el orgullo podía más que el temor.

Al salir del edificio se cruzaron con un elfo que miró a Ankris con cierta antipatía, pero este no se percató de ello. Estaba demasiado pendiente de la vital conversación que iba a mantener con Shi-Mae.

Momentos después, ambos se habían sentado bajo un frondoso árbol, uno junto al otro. Pero Shi-Mae se cuidó mucho de no rozar a Ankris en ningún momento.

—Enhorabuena —dijo él—. Has superado la Prueba del Fuego. Sabía que lo conseguirías.

Pero ella no respondió. Hubo un incómodo silencio, hasta que Ankris dijo:

—Pensaba decírtelo.

—¿Cuándo? ¿Después de la boda?

Ankris reprimió una sonrisa amarga, recordando las palabras del brujo.

—No, antes. Pero después de la Prueba del Fuego. No quería que eso te distrajera.

Shi-Mae no dijo nada. Intuyendo que lo mejor era ser sincero, Ankris le relató toda su historia. Le habló de la matanza de las siete primeras noches, temiendo que ella lo mirara horrorizada, pero los ojos de Shi-Mae seguían perdidos en el horizonte y su rostro seguía mostrando una expresión entre impasible y ausente.

Le contó lo que había sucedido con el brebaje del brujo, y cómo precisamente la noche anterior no había logrado controlar a la bestia.

—Pero no soy yo, Shi-Mae. Tú sabes que yo no soy así. Y puedo controlar al lobo, si solo... si solo soy más cuidadoso en el futuro.

Shi-Mae no respondió. Ankris la contempló angustiado.

—Por favor, mírame, háblame, dime algo. Sé que ahora me odias, pero... —se estremeció—. Shi-Mae, necesito saber... si anoche...

No pudo terminar. Por fin, ella se volvió hacia él.

—¿Si me hiciste daño? —preguntó con suavidad—. No, pero no porque no lo intentases. Traté de escapar, pero... —suspiró—, el hechizo de teletransportación no funciona si el mago no tiene la mente serena. Me defendí con todos los hechizos de ataque que conocía, pero tu cuerpo los resistía todos. Eché a correr por el bosque. Me perseguías; te lancé varios conjuros para detenerte, pero solo conseguí frenarte y retrasar lo que era inevitable: el momento en que me alcanzarías y acabarías conmigo. Entonces me acordé del conjuro de petrificación.

—¿Me petrificaste? —soltó Ankris, pasmado.

Los ojos de Shi-Mae relampaguearon.

—¿Qué querías que hiciera? ¿Dejar que me devoraras? Regresé al amanecer —prosiguió, algo más calmada—. Sabía que los licántropos recuperáis vuestra forma original bajo la luz del sol, de manera que te despetrifiqué y te transformaste de nuevo en elfo. Te dejé allí...

Parecía que iba a añadir algo más, pero finalmente no lo hizo. Ankris comprendió de pronto que algo se había roto irremediablemente entre los dos.

—Oh, Shi-Mae, lo siento, lo siento tanto...

Ella no respondió. Ni siquiera lo miró.

—Puedo controlarme con el brebaje del brujo, pero aun así ya había decidido que me marcharía al bosque las noches de plenilunio. Nunca tendrás que volver a verme bajo la forma de la bestia. Podemos olvidar todo esto y te prometo..., te juro que jamás volveré a hacerte daño.

Shi-Mae no dijo nada.

—Pero —añadió Ankris con profunda tristeza—, si quieres romper nuestro compromiso, lo entendería.

Contuvo el aliento.

—Quiero —dijo entonces Shi-Mae, y el corazón de Ankris se rompió en mil pedazos—. No me malinterpretes, Ankris —añadió ella, pronunciando juntas las dos sílabas de su nombre—. Aún te quiero y siempre te querré. Pero no quiero casarme contigo. Ya no. Tú no puedes entenderlo, pero han pasado demasiadas cosas en un solo día. No soy la misma persona que ayer deseaba casarse contigo. He cambiado, y... y no se trata solo de lo de anoche, sino también...

—La Prueba del Fuego —susurró Ankris—. ¿Ha sido tan dura como decían?

—No quiero hablar de eso.

Ankris no insistió, pero se quedó mirándola implorante. Shi-Mae se dio cuenta:

—Es mi última palabra, Ankris. Lo mejor para los dos es que no volvamos a vernos.

Ankris acogió aquellas palabras con un dolido silencio.

—Comprendo —dijo finalmente.

Había sido un estúpido. En días más felices había llegado a creer que Shi-Mae lo aceptaría tal y como era, con todo lo que ello implicaba. ¿No consistía en eso el amor?

—Te acompaño hasta la puerta de tu casa —dijo, levantándose—. Después me marcharé y no volverás a saber de mí.

Esperaba que ella cambiara de idea, o al menos dijera algo como «lo siento», pero el rostro de Shi-Mae seguía siendo de piedra.

Se despidieron en la puerta. Ankris tragó saliva.

—Ha sido... la época más feliz de mi vida, Shi-Mae.

Ella clavó en él sus ojos de color zafiro.

—No pongas esa cara de niño herido y ofendido —le espetó con dureza—. No tienes la menor idea de lo que ha significado para mí recoger todos los pedazos de mis sueños rotos. Y nunca lo entenderás. Si me hubieses matado anoche, no me habrías hecho más daño del que ya me has hecho.

Y, con estas palabras, Shi-Mae entró en el palacio. Ankris suspiró y dio media vuelta para marcharse.

No había dado una docena de pasos cuando alguien gritó a sus espaldas:

—¡Es él! ¡Prendedle!

Cuando se dio la vuelta, media docena de guardias cayeron sobre él.

—Quedas acusado de licantropía y asesinato, An-Kris de los Robles —clamó tras él la voz del Duque del Río.

Con una mezcla de incredulidad y profundo dolor en el rostro, Ankris se volvió hacia el Duque, que lo observaba desde la puerta con expresión pétrea. Pero junto a él no descubrió, como había temido, a Shi-Mae, sino a un elfo robusto que sonreía con profunda satisfacción.

Era Toh-Ril, el hijo del Capitán de los Centinelas.

VII

EL JUICIO

NADIE VISITÓ A ANKRIS durante las tres semanas que estuvo preso en el calabozo, en espera del juicio que se celebraría próximamente.

Nadie, a excepción de Shi-Mae.

La elfa entró en el subterráneo serena y segura, y Ankris no pudo evitar fijarse en el flamígero color rojo de su túnica, que indicaba que se trataba ya de una maga consagrada.

Se miraron un instante. El corazón de Ankris latía con fuerza, pero llevaba demasiado tiempo consumiéndose en pensamientos negativos como para ser capaz de demostrar algo de alegría.

—Pensaba que no querías volver a verme.

—Cambié de idea.

Hubo un breve e incómodo silencio.

—Es curioso —dijo finalmente Ankris—. Me encierran ahora que soy completamente inofensivo. Pero dentro de unos días será luna llena y ni siquiera estos barrotes podrán detenerme.

—Lo sé —dijo Shi-Mae con suavidad.

Rozó la cerradura con el dedo, y esta se abrió con un ligero clic. Ankris la miró, pasmado.

—¿Cómo has hecho eso?

—Soy una maga —respondió ella simplemente.

—Pero... los guardias...

—Ahora duermen.

Sin entender muy bien lo que se proponía, Ankris la vio entrar en su celda. Se miraron a los ojos. Shi-Mae buceó en la mirada ambarina del elfo, como si quisiera llegar a sumergirse en su esencia. A Ankris le pareció que su pecho se movía casi imperceptiblemente, estremecido por un suspiro.

—Shi-Mae, ¿qué...?

No pudo terminar la frase. Ella le echó los brazos al cuello y lo besó apasionadamente, como si quisiera fundirse con él. Ankris se dejó llevar y la abrazó, muy confuso.

Entonces, Shi-Mae se separó de él. Su mirada volvía a ser de hielo.

—Nunca más —le advirtió.

Le dio la espalda y salió de la celda.

—¿Qué...? ¡Shi-Mae, espera!

Ankris quiso salir corriendo tras ella, pero la puerta se cerró ante sus narices, con un sonoro chasquido, sin necesidad de que Shi-Mae la tocara. Furioso, el joven sacudió la reja.

—¡Espera, Shi-Mae! ¿Qué has querido decir?

Pero ella ya se había marchado.

Y ya no regresó.

Al día siguiente, Ankris fue conducido ante un tribunal de elfos severos y circunspectos, entre los cuales se encontraba el Señor del Bosque Dorado, el Archimago que gobernaba la Escuela de Shi-Mae. El joven miró a su alrededor, buscándola con la mirada, pero no la vio. Sí descubrió al anciano rey de los elfos sentado en un palco, protegido por dos poderosos guardias. La reina había muerto años atrás, de una enfermedad que los médicos no habían sabido curar. Sobre las rodillas del monarca se hallaba sentada una criatura de grandes ojos color verde esmeralda: Nawin, la princesa de los elfos, todavía una niña pequeña.

El hecho de que su caso hubiese llamado la atención del soberano de los elfos no proporcionó a Ankris una expectativa diferente con respecto al resultado del juicio. Sabía que lo iban a condenar, y no veía nada en el rostro de piedra del rey que le hiciera pensar lo contrario.

De todas formas, no le importaba. Después de pasar aquellos días encerrado en su calabozo, meditando sobre su situación, había llegado a la conclusión de que aquello era lo mejor para él. Si debía morir, que así fuera. La bestia moriría con él.

Sabía que ya no había esperanza para él. Shi-Mae había podido rescatarlo y no lo había hecho. Seguía sin entender del todo su comportamiento de la tarde anterior, pero sí había llegado a comprender que aquel beso había sido un beso de despedida.

Nunca más, había dicho ella. Y él sabía que lo decía en serio.

Ahora que había perdido a Shi-Mae, nada de todo aquello tenía sentido.

Como en un fogonazo, oyó la voz de la Señora de la Torre: «Si no tienes a donde ir, ven a la Torre, en el Valle de los Lobos. Te estaré esperando».

Sacudió la cabeza. ¿Para qué? ¿Qué podría hacer Aonia por él? ¿Y de qué serviría, si sabía que jamás recobraría el amor de Shi-Mae?

—An-Kris de los Robles —empezó el juez—. Se te acusa de ser un licántropo. ¿Qué tienes que decir al respecto?

Ankris no respondió. No tenía nada que decir.

—Oigamos a la persona que te acusa: Toh-Ril del Paso del Sur.

Toh-Ril se puso en pie y, con evidente satisfacción, relató cómo había visto crecer a Ankris y cómo desde niño había mostrado un comportamiento salvaje. Contó al tribunal su encuentro en el bosque, sin mencionar que él y sus amigos habían intentado pegar al muchacho, pero ofreciendo todo tipo de detalles acerca de la violenta reacción de Ankris. El joven lo escuchó con cierto interés. De modo que era eso lo que había sucedido aquella noche. En aquel momento, mientras Toh-Ril hablaba, Ankris lo recordó todo de golpe. Reprimió una siniestra sonrisa. Sí, era un monstruo, y lo había sido desde niño. No podía hacer nada para evitarlo. No lo había hecho a propósito, era su verdadera naturaleza y, por más que luchara contra ella, no lograría derrotarla.

Toh-Ril habló de la huida de Ankris y de sus posteriores visitas a la casa del brujo. Contó cómo los había espiado una vez a través de la ventana y había oído decir al brujo que Ankris era un licántropo. Después explicó que, tiempo después, lo había seguido hasta la ciudad y lo había espiado las noches de luna llena. Y lo había visto tendido en su cabaña, dormido bajo los efectos del narcótico, transformado en una bestia. Hasta que, una noche, había llegado demasiado tarde: la puerta había volado en pedazos y Ankris no se hallaba en el interior de su cabaña. Lo había visto regresar a ella al día siguiente y, más tarde, registrar el bosque hasta acercarse a una cueva semioculta al pie de la montaña. Ankris no había llegado hasta allí, pero se había aproximado lo bastante como para que, un rato más tarde, Toh-Ril pudiera encontrar por sí mismo el lugar donde el licántropo ocultaba los cuerpos de sus víctimas. En otras circunstancias, Ankris se habría enfurecido con Toh-Ril por haberlo espiado. Pero en aquel momento le daba todo igual. «Visto así», pensó, «él tiene razón. No soy más que un monstruo». Se alegró, sin embargo, de que Toh-Ril no hubiera llegado a tiempo de ver cómo atacaba a Shi-Mae.

Un especialista declaró haber examinado la cueva, y afirmó que los cuerpos que se encontraban allí habían sido asesinados por una bestia de gran tamaño, probablemente un lobo. También llamaron a declarar al brujo, y este se limitó a decir que suministraba a Ankris un narcótico porque tenía problemas para dormir algunas noches.

—Dijiste que era un licántropo —protestó Toh-Ril.

El brujo fijó en él sus ojos rojizos.

—Lo dudo. No he visto a este muchacho transformado en lobo, de modo que no puedo haberlo acusado de tal. Lo que sí dije fue que sus padres mataron a varios hombres-lobo con sus propias manos, lo cual es total y absolutamente cierto. Probablemente no entendiste bien mis palabras. Es lo que pasa cuando uno espía a través de las ventanas en lugar de preguntar directamente; a veces, las cosas se oyen distorsionadas.

El rostro de Toh-Ril se contrajo de rabia, pero Ankris reprimió una sonrisa. El brujo trataba de protegerlo, a pesar de todo.

La impavidez del joven se tambaleó, sin embargo, cuando dos elfos Centinelas subieron a declarar, llamados por el tribunal.

Sus padres.

—Anthor y Eilai del Paso del Sur —dijo el juez—. Lo preguntaré una sola vez: ¿es vuestro hijo un licántropo?

Anthor vaciló y desvió la mirada. Eilai clavó en el juez sus ojos ambarinos y dijo:

—No.

Ankris no pudo soportarlo más.

—¡Basta! —exclamó—. No mintáis más por mí. Sí, es cierto, soy un licántropo. Me transformo en lobo las noches de luna llena.

Un murmullo escandalizado recorrió la sala. Ankris percibió los enormes ojos de la princesa Nawin mirándolo fijamente, abiertos de par en par.

—Pero no lo hago voluntariamente —prosiguió—. Si bien amo a los lobos y la vida salvaje, no hasta el punto de desear perder mi conciencia racional para atacar a mis semejantes. No puedo impedir la transformación, y creed que haría lo que fuese por ser un elfo normal. Si acudí al brujo fue porque no quiero matar a nadie. Porque, lo creáis o no, no soy consciente de lo que hago las noches de luna llena. Es el lobo que hay en mí quien me convierte en una bestia asesina. ¿Condenaríais a un elfo por los actos de una bestia?

—Han muerto doce personas —siseó Toh-Ril.

Ankris lo miró a los ojos.

—Yo no los maté. Ni siquiera recuerdo haberlos visto. Y, seamos sinceros, Toh-Ril: a ti no te importan esas personas. Lo único que quieres es verme muerto.

Un nuevo murmullo recorrió la sala.

—Controla tu lengua, reo —gruñó el juez—. ¿Estás eludiendo tu responsabilidad en todo esto?

—No. Solo estoy pidiendo ayuda —miró a su alrededor—. Mis padres y el brujo vieron lo bueno que había en mí y trataron de salvarme. Yo solo sé que una maldición me transforma en una bestia las noches de luna llena. Sé que es una enfermedad espantosa y que entre los elfos es todavía más temida y odiada, por ser tan extraña a nuestra naturaleza. Pero aquí y ahora pido..., suplico... que si alguien conoce alguna manera de ayudarme, de destruir la maldición, de controlar al lobo que hay en mí...

Suspiró quedamente. Hubo un largo silencio.

—Ayudadme —susurró Ankris finalmente—. Por favor, ayudadme. Solo quiero ser un elfo normal y...

Se le quebró la voz y no pudo seguir hablando. Entrevió los ojos de su madre llenos de lágrimas. Su padre también parecía conmovido.

Se sintió furioso y humillado por un momento. Era orgulloso y odiaba tener que ponerse en evidencia de aquella manera. Pero en su interior había algo que gritaba desesperadamente pidiendo ayuda, y en aquel momento comprendió que esa voz había estado allí desde el primer día y, por alguna razón, no había querido escucharla. Era aquella voz la que acababa de hablar por él en aquel momento. Aquella voz que Aonia, la Señora de la Torre, había escuchado gritar sin palabras cuando lo había mirado a los ojos en la Escuela del Bosque Dorado.

Sintiéndose de pronto mucho más inseguro y vulnerable, perdida ya aquella coraza de impasibilidad con que había recubierto su corazón, Ankris alzó la cabeza y miró a su alrededor. Se dio cuenta de que todos se habían vuelto hacia el Señor del Bosque Dorado, que se había puesto en pie, evidentemente incómodo.

—Ni siquiera la magia puede curar a un licántropo —dijo.

Ankris respiró hondo. Había dicho «curar». Eso significaba que admitía que estaba enfermo. Tal vez...

—He oído hablar de hechizos que devuelven a los licántropos su forma original —intervino el brujo.

El Archimago lo fulminó con la mirada. Los magos nunca se habían llevado bien con los brujos; estos no poseían auténtico poder mágico, pero conocían como nadie los secretos del mundo natural, y por ello la mayoría de la gente prefería confiar en ellos antes que hacerlo en un mago consagrado, cuyos poderes resultaban inexplicables a los ojos de los no iniciados. Los magos lo sabían y, si bien despreciaban a los brujos por no ser capaces de realizar hechizos, también eran muy conscientes de que ellos, a pesar de todo su poder y su riqueza, habían perdido la batalla de la popularidad en favor de los brujos.

No sucedía lo mismo en tierras humanas, donde, según había oído Ankris, magos y brujos eran odiados por igual.

—Son hechizos temporales y duran solo unas horas —dijo con frialdad—. Se requeriría un lugar de extraordinario poder para incrementar la fuerza de esos conjuros, y me temo que ni siquiera nuestra Escuela es apropiada para ello. Podemos conseguir que su cuerpo resista sin transformarse varias horas más. Eso es todo lo que podemos hacer por él.

—¿De veras? —el brujo alzó una ceja—. Pues en tal caso, me temo que yo puedo hacer mucho más. Mis narcóticos lo han sumido durante años en un sueño profundo todas las noches de luna llena.

—¿Insinúas que tus brebajes están por encima de nuestra magia más avanzada? Te recuerdo que no has logrado evitar que se transforme.

—Pero he impedido que siga asesinando —el brujo sonrió, burlón—, cosa que encuentro mucho más práctica y efectiva que reducir a la mitad sus horas como bestia. Pero, en cualquier caso, no es ahí adonde quería llegar. Lo que me gustaría señalar es que el joven Ankris tomaba los narcóticos voluntariamente —paseó su inquietante mirada sobre los asistentes—. Somos como somos, y en muchos casos no podemos luchar contra nuestra naturaleza. He visto a los licántropos de cerca. Puedo asegurar que para ellos es extremadamente difícil plantar cara a la bestia que los devora por dentro. He aquí a un muchacho que tiene el valor de luchar, porque quiere ser como los demás. Un muchacho con la suficiente entereza como para tratar de vencer a la bestia, en lugar de rendirse a ella, como hace la mayoría. No creo que se le deba castigar por ello. Controlarlo, sí. Y evitar que siga matando, también. Eso es precisamente lo que él quiere, lo que nos está pidiendo a gritos. Ayudémosle.

Hubo murmullos de asentimiento. Ankris miró a su alrededor, incrédulo. Hasta el Archimago parecía considerar las palabras del brujo.

El juez frunció el ceño y alzó la mirada hacia el rey. Ankris no se atrevió a imitarlo. Pero vio que el juez vacilaba y sintió, por un momento, que había un rayo de esperanza.

El juez carraspeó y abrió la boca para hablar.

—Yo no estoy de acuerdo —dijo entonces una voz clara y fría como el hielo.

Ankris no necesitó volverse. Habría reconocido aquella voz en cualquier parte.

Shi-Mae acababa de entrar en la sala y se abrió paso entre la gente hasta llegar ante el juez. Los murmullos aumentaron en intensidad.

—Shi-Mae, heredera de la Casa Ducal del Río —proclamó, aunque no era necesario. Todos habían reconocido en ella a la joven y bella prometida del acusado.

—¿Tenéis algo que decir, Shi-Mae? —preguntó el juez.

—Deseo hacer constar que conozco a este elfo muy bien —comenzó Shi-Mae.

La sala estaba completamente en silencio, pendiente de sus palabras. Pero, si esperaban que Shi-Mae continuase el discurso del brujo, hablando en favor de Ankris, se llevaron una sorpresa.

—Lo conozco —prosiguió Shi-Mae—, porque era mi prometido e íbamos a casarnos. Nuestra relación duraba ya diez años.

—¿Cómo? —soltó el Duque del Río, sin poderlo evitar; apenas hacía dos años que Shi-Mae le había hablado por primera vez de su noviazgo con Ankris.

Shi-Mae ignoró deliberadamente el exabrupto de su padre y continuó:

—Sin embargo, en todo este tiempo él jamás me habló de sus transformaciones. Me ocultó que se convertía en un lobo asesino las noches de luna llena. Y yo lo descubrí de manera fortuita hace solo tres semanas.

Shi-Mae relató su visita a la cabaña de Ankris y todo lo que sucedió después. La audiencia escuchaba, sobrecogida, mientras la muchacha contó cómo su prometido, a quien quería más que a nada en el mundo, se había transformado en una bestia ante sus ojos y había tratado de matarla y devorarla. Describió con todo detalle la horrible persecución a través del bosque, durante la cual Shi-Mae había luchado hasta el agotamiento, tratando de detener a la formidable criatura que intentaba asesinarla. «Oh, Shi-Mae», murmuraba Ankris para sus adentros, llorando en silencio, intuyendo por primera vez lo terrible que aquella noche había sido para ella. «Lo siento, lo siento, lo siento tanto...».

—Pero yo no quería matarlo, no quería, porque Ankris era mi prometido... —susurró ella—. Al final lo transformé en piedra y logré detenerlo hasta la salida del sol. Entonces lo despetrifiqué y... –tomó aliento– me fui a la Escuela del Bosque Dorado a presentarme a la Prueba del Fuego.

Hubo murmullos y exclamaciones de admiración. Todos habían oído hablar de la Prueba del Fuego, pero solo los magos que la habían superado comprendieron todas las implicaciones de las palabras de Shi-Mae, y palidecieron. Enfrentarse a la Prueba del Fuego sin haber descansado el día anterior, tras haber agotado casi toda la energía mágica, era prácticamente un suicidio.

Muchos miraron a Ankris casi con odio, pero él apenas se dio cuenta. Solo tenía ojos para Shi-Mae, que se erguía como una heroína ante una audiencia que la contemplaba con admiración.

–Ahora lo veo todo de diferente manera –prosiguió ella–. Si yo no hubiera sido una aprendiza de hechicería, si hubiera sido cualquier otra elfa, Ankris me habría matado esa noche. Puede que cuente con ese brebaje que lo hace inofensivo, pero, desde luego, cuando yo lo vi era un animal sanguinario. Al día siguiente me dijo que había sido un descuido, que en el último momento se había dado cuenta de que ya no le quedaba –tomó aliento y continuó–: Si realmente quisiera controlar a la bestia, jamás habría cometido ese tipo de desliz. Podemos ayudarlo, dice el brujo. Pero, ¿de verdad desea dejarse ayudar?

–¡Tú sabes que sí, Shi-Mae! –gritó Ankris.

Ella se volvió hacia él y lo contempló fríamente.

—Entonces, me lo habrías dicho. Si no puedes confiar en mí, ¿cómo esperas que yo confíe en ti? Eres un monstruo, una bestia asesina. No eres uno de nosotros.

El juez se inclinó hacia Shi-Mae.

—¿Eres consciente de lo que dices? Te recuerdo que estás hablando del elfo con el que pensabas casarte.

—No. No es el elfo con quien pensaba casarme. El Ankris que yo conocía no existe. Fue todo una mentira, una ilusión. Aquella noche vi su verdadero rostro, un rostro que, desde entonces, me persigue todas las noches en mis peores pesadillas. No quiero ni pensar en lo que sucedería si otra joven cayera en la misma trampa que yo. Puede parecer agradable y buena persona a simple vista, pero... ¿qué sucedería si volviera a tener... un descuido una noche de luna llena?

—¿Adónde quieres ir a parar, muchacha? —gruñó el brujo.

—Yo digo que no se puede controlar a la bestia —declaró Shi-Mae, desafiante, mirando a su alrededor—. Hay que destruirla. Y, si para ello debemos matar al elfo..., que así sea.

Ankris jadeó, perplejo. Todo el mundo empezó a hablar a la vez, pero de pronto un grito resonó sobre la sala.

—¡¡¡Sucia arpía manipuladora!!! —chilló Eilai, con los ojos llenos de lágrimas, tratando de abalanzarse sobre Shi-Mae, mientras su esposo la retenía a duras penas—. ¡¡¡Cómo te atreves a hablar así de mi hijo!!!

Cuando el juez logró que los ánimos volvieran a calmarse, preguntó a Shi-Mae:

—¿Tienes algo más que añadir?

—Sí —dijo ella, mirando a Ankris a los ojos—. Esta criatura es un monstruo que jamás debería haber nacido. Y por eso tiene que morir.

Ankris sintió que se quedaba sin aire y se dejó caer sobre el banco, sin querer creer lo que acababa de escuchar. La sala se revolucionó de nuevo. Todos hablaban a la vez, y tuvieron que sujetar a Eilai entre tres para que no se arrojara sobre Shi-Mae.

—¡Dejadme! —chillaba la Centinela—. ¡Soltadme! ¡¡Voy a matar a esa zorra traidora!! ¡¡Cómo has podido vender a mi hijo de esa manera, mala hembra!!

Finalmente, se llevaron a Eilai a rastras y la sacaron de la sala. Ankris comprendió de pronto que su madre sabía exactamente cómo se sentía. No se hubiera enfurecido tanto si cualquier otra persona hubiese pedido su muerte al tribunal. Pero Shi-Mae...

Cerró los ojos con cansancio. «Está bien, matadme ya», pensó. «Ni siquiera la persona a la que más amo cree que merezca seguir viviendo».

Se sentó sobre el banco y enterró la cara entre las manos. Sintió la mirada triunfal de Shi-Mae sobre él. «¿Tanto me odias?», pensó. Abrió los ojos y la miró, y leyó la verdad en su mirada color zafiro.

Sí.

Apenas oyó nada de lo que sucedió en los momentos siguientes. Otros elfos hablaron, pero él no los escuchó, y estaba seguro de que el resto de la sala tampoco lo hacía. Las palabras de Shi-Mae seguían pesando como una losa sobre las mentes de todos. Cuando, finalmente, el jurado tomó una decisión, a Ankris no le sorprendió en absoluto escuchar que el juez anunciaba:

—An-Kris de los Robles, este tribunal te considera culpable de licantropía y del asesinato de doce elfos. La sentencia es la muerte.

Ankris suspiró. «Por fin», pensó. Por fin había acabado todo, descansaría y olvidaría a Shi-Mae para siempre. Aún oyó el grito de su madre mientras los guardias del rey se lo llevaban a rastras hacia la muerte. Volvió la cabeza para mirar a Shi-Mae por última vez; y, en lugar de la expresión triunfal que esperaba encontrar en su rostro, sorprendió en sus ojos una mirada de profunda y desesperada tristeza. Los guardias se lo llevaron a empujones, mientras la multitud lo abucheaba, y Ankris pensó que lo había imaginado.

No ejecutaron la sentencia inmediatamente. Lo arrojaron de nuevo al calabozo, y allí lo dejaron durante unas horas más, hasta la puesta del sol. Por la noche, cuando la luna creciente brillaba en lo alto del cielo, los guardias fueron a buscar a Ankris.

—Es la hora —dijeron.

El joven se levantó y los siguió, obediente. Se sentía muerto por dentro. La ejecución no cambiaría tanto las cosas. Lo arrastraron hasta las afueras de la ciudad. Como era tarde, no encontraron a nadie por el camino. Ankris había oído decir que, en tierras humanas, los reos eran paseados en carretas por la población para que la multitud, enfurecida, los insultara y los humillara escupiéndoles y lanzándoles cosas. Los elfos, en cambio, eran mucho más discretos. La ejecución se llevaría a cabo de noche, en el bosque, y nadie más que los verdugos y un funcionario del rey estaba autorizado a asistir.

Sin embargo, cuando Ankris fue arrojado al suelo en un claro del bosque, no vio al funcionario por ninguna parte. Los guardias que lo custodiaban no hicieron ademán de cargar sus arcos ni de sacar la espada.

—¿Qué significa esto? —murmuró él, aturdido—. ¿A qué estáis esperando?

—Me están esperando a mí —dijo una voz serena desde la oscuridad.

Ankris trató de ubicar aquella voz. Para cuando su dueño salió de entre las sombras y la luz de la luna iluminó su cara, el joven ya sabía de quién se trataba, pero, aun así, su presencia allí lo sorprendió.

Era el Capitán de los Centinelas de la frontera sur.

Ankris fue a preguntar algo, pero no encontró palabras. El Capitán sonrió y se alejó un poco para hablar con él, lejos de los oídos de los guardias.

—He intercedido por ti —dijo—. A pesar del odio que te tiene mi hijo, aprecio sinceramente a tus padres y confío en la palabra del brujo. Y, por otra parte, te he tenido en mi escuela y sé que no eres un monstruo, hijo.

Ankris sintió que tenía un nudo en la garganta.

—No he conseguido que te levantaran la pena, pero sí conmutarla. No estás condenado a muerte..., pero quedas desterrado para siempre de nuestro Reino. Si osas volver, nada podrá salvarte ya.

Ankris no se sintió tan aliviado como habría cabido esperar.

—Tienes hasta el amanecer para abandonar el Reino de los Elfos —concluyó el Capitán—. Cuando salga el sol, serás oficialmente un proscrito, y los soldados del rey tienen orden de tirar a matar.

Ankris reaccionó.

—¿Qué? —soltó—. ¡Pero si la frontera más cercana está a dos semanas de aquí!

El Capitán se encogió de hombros.

—Nadie dijo que fuera fácil, muchacho, pero al menos tienes una oportunidad. Los soldados no comenzarán a perseguirte hasta el alba. Eso quiere decir que tienes una noche de ventaja. Y, conociendo tus habilidades de Centinela, dudo que sean capaces de cogerte. Pero no te confíes.

El joven trató de asimilar toda aquella información.

—Capitán —dijo, mirándolo con seriedad—, no puedo marcharme. Pasado mañana es luna llena. No puedo permitir que...

—Está todo previsto. Toma —le tendió un frasco con un líquido de color rojizo que Ankris conocía muy bien—. Es un regalo del brujo. Busca un buen lugar donde esconderte durante el plenilunio. Al menos por un tiempo no causarás daños.

—¿Y qué pasará después? Con esta cantidad solo tengo para unos meses.

—Toma esto también —le entregó un pergamino—. Aquí está escrita la fórmula del somnífero para que puedas prepararlo tú mismo. El brujo dice que conoces todas las plantas descritas aquí.

Ankris desenrolló el pergamino y sus ojos de elfo lo leyeron sin problemas a la luz de la luna.

—Eso es cierto —asintió, sintiendo que una llama de esperanza alimentaba su corazón.

—Se me olvidaba —añadió el Capitán—. Tus padres te mandan recuerdos. Tu padre me ha dado esto para ti —le dio un objeto alargado, cuidadosamente envuelto en una tela—. Me ha dicho que es un regalo de familia. Pero no te entretengas en abrirlo ahora. Ya lo mirarás más tarde.

—Gracias, Capitán. Nunca lo olvidaré.

El Capitán le dirigió una mirada llena de gravedad.

—Es una manera de saldar mi deuda —murmuró.

—¿Vuestra... deuda?

—La noche en que los licántropos mordieron a tu madre... ella y tu padre tuvieron que enfrentarse a tres de ellos completamente solos, porque yo no quise escucharla... Si le hubiera hecho caso y hubiese mandado a un grupo con ellos para defender el vado, tal vez tú serías ahora un muchacho normal.

Ankris comprendió en seguida lo que quería decir. Su madre le había contado la historia, pero nunca lo había visto de aquel modo. No supo qué decir.

—Sin embargo, quiero que sepas —concluyó el Capitán— que, aunque te aprecio, nunca dejaría a un licántropo suelto por ahí, ni siquiera en tierras de humanos. Confío en ti. Prométeme que lucharás contra la bestia.

—Lo juro, mi Capitán —prometió Ankris con toda su alma.

Momentos después, emprendía la huida del Reino de los Elfos. Como los amigos fieles que siempre habían sido, los lobos de su manada lo acompañaron, haciendo menos penosa la partida.

Ankris no se detuvo un momento en toda la noche. Corrió y corrió hasta el agotamiento, pero incluso cuando salió el sol siguió corriendo por el bosque, evitando los lugares habitados. Seguía llevando ventaja a los soldados del rey, pero sabía que estos pronto lo alcanzarían.

Sobre todo, porque pasaría toda una noche inconsciente. Cuando llegó el plenilunio, Ankris encontró un buen lugar donde esconderse, una grieta al fondo de un precipicio, y allí tomó el somnífero poco antes de que tuviese lugar la transformación. Cuando despertó al día siguiente, en el mismo lugar, no se entretuvo: todavía quedaba mucho camino hasta la frontera.

A pesar de sus prisas y sus precauciones, los soldados lo alcanzaron, y durante varios días Ankris huyó desesperadamente de ellos, y algunas veces estuvieron a punto de abatirlo con sus flechas. En un momento determinado por poco lo atraparon; varios disparos llegaron a impactar en su cuerpo, pero por fortuna no le dieron en ningún punto vital. En aquella ocasión escapó gracias a los lobos, que lo ayudaron durante toda su huida, distrayendo a los soldados, atacándolos desde la espesura y obligándolos a retrasarse en su persecución. Además, una nueva llama ardía en el pecho del joven elfo. No deseaba morir, ya no.

Sobreviviría. Y destruiría a la bestia. Debía hacerlo por sus padres, por el Capitán, por el brujo, porque ellos creían en él.

Pero, sobre todo, por sí mismo. Para demostrar al mundo que Shi-Mae estaba equivocada y que él no era ningún monstruo.

Tras varios días de avanzar ocultándose a través del bosque, de huidas desesperadas, de contener el aliento, temblando, en algún agujero mientras los soldados rastreaban la zona buscándolo, Ankris llegó por fin, casi arrastrándose de agotamiento, al Anillo. Y se sintió libre.

Porque, aunque estaba herido y aquel intrincado círculo boscoso pertenecía todavía al Reino de los Elfos, el joven sabía que jamás lo atraparían allí, en el lugar donde había crecido.

Las flechas de los soldados le habían acertado en un muslo y en un hombro, y la carrera a través del bosque había mantenido las heridas abiertas y sangrantes a pesar de los improvisados vendajes y torniquetes que se había aplicado. Así que decidió quedarse unos días para curarse y recuperar fuerzas.

Días más tarde, antes de abandonar para siempre el Reino de los Elfos recordó el regalo de su padre y abrió el paquete con curiosidad.

Era una daga de plata.

Ankris sabía que la plata era mortal para él, pero solo bajo su otra forma. Pese a todo, la cogió con precaución para examinarla, preguntándose por qué su padre le entregaría algo así, sabiendo que era el arma con la que cualquiera podría matarlo. ¿Es que le estaba diciendo con ello que debía poner fin a su vida?

Pero, cuando le dio la vuelta, comprendió que no era así. El mensaje de su padre eran las dos letras finamente entrelazadas que, siglos atrás, había grabado sobre el mango de la daga quienquiera que la hubiera templado, las dos letras que constituían las iniciales de su primer propietario: A.H.

An-Halian.

Respiró profundamente. Entonces, era verdad. Tenía raíces nobles. Estaba emparentado con los Condes de los Robles.

Sonrió amargamente. Tiempo atrás, habría acogido la noticia con júbilo. Ahora le daba exactamente igual; era un proscrito y poco importaba su nombre. De hecho, había pensado seriamente en hacerse llamar de otra forma en lo sucesivo. El conocer sus orígenes no le servía ya para nada. Excepto por un detalle: con aquel regalo, su padre no estaba sugiriéndole que se suicidase. Le había revelado su origen, entregándole un objeto que constituía un tesoro familiar.

Le estaba diciendo que lo aceptaba y lo reconocía como hijo. A pesar de la bestia.

El muchacho suspiró y sonrió de corazón por primera vez en muchos días. Guardó cuidadosamente la daga y se puso en movimiento, cojeando, en cuanto se ocultó el sol. Cuando llegó al límite del bosque, se volvió hacia sus compañeros de manada. Los lobos lo miraron, indecisos. Ankris sabía que no podía pedirles que lo acompañaran adondequiera que lo llevaran sus pasos, pero, aun así, le resultaba difícil despedirse de aquellos animales con los que había compartido tantas cosas. Se inclinó junto a uno de los machos, tal vez no el más fuerte pero sí el más sensato, y le dijo al oído:

—Ahora tú eres el jefe. Cuida de ellos. No dejes que se metan en líos.

El lobo lo miró; parecía que sonreía. Ankris se incorporó y aulló a la luna.

Y los lobos de su manada aullaron con él por última vez.

Cuando el elfo echó a andar, sin mirar atrás, los lobos siguieron aullando, llorando su partida, pero no lo siguieron. Y así, bajo la luz de las estrellas, Ankris abandonó el Reino de los Elfos para no volver.

No sabía que, lejos de allí, también otra persona se había puesto en marcha e iba tras sus pasos. Su perseguidor era implacable y conocía su oficio, y, lo que era peor, carecía de sentimientos y no se detendría hasta cumplir con su objetivo, que no era otro que verlo muerto.

Ajeno a esta circunstancia, creyéndose por fin a salvo, Ankris emprendió su viaje.

VIII

EN TIERRAS DE LOS HUMANOS

EL INTERIOR DE LA TABERNA estaba lleno de individuos de todas las clases y calañas y, sin embargo, un alto elfo de cabello cobrizo y ropas viejas no podía dejar de llamar la atención. Todos se volvieron para mirarle.

—¿Qué busca aquí este orejudo? —murmuró alguien, en voz lo bastante alta como para que lo oyera el recién llegado.

Ankris suspiró. Se estaba empezando a acostumbrar a aquel tipo de situaciones. Desde que había desembarcado en tierras de los humanos, meses atrás, las había sufrido a menudo. Ignorando a los que lo miraban descaradamente, se dirigió hacia una mesa ocupada por un grupo de personas, entre las que se hallaba un tipo ataviado con una túnica roja. Aquella prenda le recordó a Shi-Mae y sintió una punzada en el corazón, pero se sobrepuso y se acercó de todos modos.

—¿Eres Kaltar el mago? —preguntó; había estudiado el idioma de los humanos en la escuela de los Centinelas, pero había sido en los últimos tiempos, tratando con ellos, cuando había aprendido realmente a hablarlo.

—Sí —repuso el de la túnica, mirándolo con desconfianza—. ¿Y tú quién eres?

—Mi nombre no importa. Necesito hablar contigo.

—¿Sobre qué?

—Me han dicho que estudiaste en la Torre.

—Sí. Pero eso fue hace mucho tiempo. ¿Y qué?

Ankris disimuló su alegría. Había visto a varios magos desde su partida del Reino de los Elfos, pero todos se habían formado en otras Escuelas, y ninguno había podido decirle lo que necesitaba saber.

—¿Podemos hablar en privado?

—No. Ni siquiera te conozco.

Ankris se obligó a sí mismo a ser paciente. Odiaba aquella ciudad y no apreciaba precisamente a los humanos, tan desconfiados, agresivos e impredecibles. Pero necesitaba aquella información.

—Está bien —dijo, encogiéndose de hombros, y se sentó junto a ellos; todos, incluido Kaltar, lo miraron con antipatía.

—¿Se puede saber qué quieres?

—Ya te lo he dicho: hablar. Necesito que me digas cómo puedo llegar a la Torre.

—¡Qué gracioso! ¿Y por qué iba yo a hacer eso?

—Por pura y simple amabilidad. ¿O es que esa palabra es desconocida en tierras de los humanos?

Kaltar lo miró con mala cara, pero uno de sus compañeros dejó escapar una carcajada.

—Me cae bien este elfo; tiene agallas.

—Pues a mí, no —gruñó el mago—. ¿Para qué quieres llegar a la Torre?

—Eso es asunto mío.

—Pues, si no eres mago, no van a dejarte entrar.

—Ya pensaré en eso cuando llegue. Sé que está en el Valle de los Lobos. ¿Por dónde queda ese valle?

—Muy lejos; tardarás mucho tiempo si vas andando, o incluso a caballo.

—Eso no me importa; yo tengo mucho tiempo libre —repuso el elfo con una cansada sonrisa.

El mago lo miró fijamente. Ankris sostuvo su mirada.

—Está bien —suspiró el humano finalmente—. ¿Tienes un mapa?

—Sí, pero ese valle no figura en él.

—Déjame ver.

Ankris desplegó sobre la mesa el mapa que había obtenido semanas atrás en el mercado de la ciudad. Kaltar se inclinó sobre él para examinarlo.

—Aquí está el Valle de los Lobos —dijo, señalando un punto distante, casi en el margen del mapa, en medio de una cadena de montañas.

Ankris frunció el ceño.

—¿Dónde?

—Aquí. ¿Lo ves? Es un sitio perdido y minúsculo, tan apartado que nadie se acercaría por allí a propósito. El único acceso es a través de un desfiladero que no lleva a ninguna otra parte, y lo único que hay allí, además de la Torre, es un pueblo que consiste en una calle y cuatro casas.

Ankris asintió, pensativo, mientras sus ojos ambarinos recorrían el mapa calculando la distancia que habría entre la ciudad en la que se hallaba y aquel remoto y diminuto valle perdido en las montañas.

—Ahora en serio, ¿para qué quieres ir allí?

—Para ver a la Señora de la Torre.

La mesa entera estalló en carcajadas.

—Esa mujer es un mito —rió uno de los parroquianos—. No existe en realidad.

—Cierra la boca —cortó Kaltar, muy serio—. La Señora de la Torre existe y fue mi Maestra. No le faltes al respeto o me encargaré de echarte una maldición de lo más desagradable, te lo aseguro.

El bromista enmudeció y Ankris sonrió para sus adentros.

—A pesar de eso —prosiguió el mago, mirando al elfo—, nada te asegura que ella vaya a recibirte.

—He de intentarlo.

—Pues que tengas suerte, entonces. Y salúdala de mi parte, si la ves.

—Lo haré —prometió Ankris.

Salió de la taberna, y el mago y sus compañeros pronto lo olvidaron.

Sin embargo, días más tarde alguien les refrescó la memoria. Un hombre cubierto de pieles, de constitución recia y mirada pétrea, entró en la taberna y preguntó por un elfo de ojos ambarinos y cabello de color cobre. Kaltar, que llevaba unas copas de más, tardó un poco en recordar al joven que le había preguntado por el Valle de los Lobos pero, en cuanto lo hizo, al hombre de los ojos de piedra no le costó nada sacarle toda la información.

Y, con un brillo de triunfo en la mirada, salió de la taberna en persecución de su presa.

Ankris no tenía dinero para comprar un caballo, de manera que prosiguió su viaje a pie. Se dirigió hacia el norte, siempre hacia el norte, por zonas boscosas y poco habitadas. Sabía perfectamente cómo sobrevivir en la floresta y, además, prefería no mezclarse con la gente. Por otra parte, la pócima pronto se le acabaría, y el bosque era el lugar perfecto para encontrar los ingredientes que necesitaba para preparar más.

La primera vez que tomó somnífero elaborado por él mismo temió hasta el último momento que algo hubiese salido mal: podía haberse equivocado en las proporciones, o en algún ingrediente, o en la temperatura de la mezcla. Por ello, eligió un lugar muy apartado, a varios días de distancia de cualquier camino, por si algo fallaba; pero, inmediatamente después de la transformación, cayó dormido, y al día siguiente despertó en el mismo lugar.

El mes siguiente, sin embargo, sucedió algo.

Había elegido para ocultarse una pequeña cueva al pie de una montaña. Cuando abrió los ojos, poco antes del amanecer, olfateó la presencia de alguien extraño. Miró a su alrededor, confuso. La bestia no se había retirado todavía de su cuerpo, pero su mente racional comenzaba a despertar con las primeras luces del alba, que se filtraban por debajo de un manto de pesadas nubes grisáceas.

Vio ante sí a una niña que lo miraba. El lobo que había en él gruñó y quiso avanzar hacia ella, pero aún estaba bajo los efectos del somnífero. El elfo, que despertaba, quiso sonreírle.

Ankris sintió cómo se transformaba de nuevo en elfo, y la bestia desaparecía hasta la siguiente luna llena. Se incorporó, algo aturdido, y buscó a tientas sus ropas; en las noches de plenilunio se las quitaba antes del atardecer, porque siempre las destrozaba cuando se transformaba.

Se puso de nuevo la camisa y miró a su alrededor, ya algo más despejado, pero no vio a nadie. Se encogió de hombros. Seguramente había sido un sueño.

Prosiguió su viaje hacia el norte, pero se encontró con una cadena de montañas que le cerraba el paso. Según el mapa, debía de haber un desfiladero por allí, pero, por más que recorrió, arriba y abajo, el pie de la cordillera, no lo encontró. Volvió sobre sus pasos y llegó a una granja al caer la tarde, cuando el viento arreciaba y las nubes grises se habían transformado en negros nubarrones que anunciaban tormenta.

Generalmente, Ankris solía evitar todo tipo de lugares habitados, pero ahora necesitaba preguntar el camino que debía seguir. La mujer que le abrió la puerta se quedó mirándolo fijamente, como si hubiera visto un fantasma.

—Buenas tardes —dijo Ankris—. Me preguntaba si...

Ella le cerró la puerta en las narices.

El joven suspiró. Estaba claro que en un lugar tan apartado como aquel nadie había visto un elfo. Lo intentó, de todas maneras.

—Disculpad —dijo a través de la puerta cerrada—, me he perdido y me preguntaba si podríais ayudarme.

Silencio.

—He intentado cruzar las montañas, pero no he encontrado el paso que viene indicado en mi mapa.

Nuevo silencio. Ankris se encogió de hombros y se volvió para marcharse. Pero entonces oyó un chasquido tras él, el chirrido de la puerta que se abría y una voz de hombre que dijo:

—El invierno pasado hubo un derrumbamiento y el paso se cerró. No vas a poder cruzar por ahí, extranjero.

Ankris se volvió hacia él. El granjero era enorme; no más alto que el elfo, pero sí mucho más robusto. Lo miró de arriba abajo con un brillo extraño en la mirada.

—Vienes de muy lejos, por lo que veo.

—Del Reino de los Elfos, al otro lado del mar.

Un relámpago iluminó el cielo del atardecer. Casi inmediatamente, un trueno retumbó sobre las montañas.

—Será mejor que entres —dijo el granjero—. Va a caer una buena.

—No quiero molestar. Solo necesito saber cómo cruzar las montañas.

—¿Vas a continuar tu viaje bajo la tormenta?

«No sería la primera vez», pensó el elfo, pero algo en la mirada del granjero le dijo que no le gustaría que rehusara, de modo que, con unas palabras de agradecimiento, entró en la casa.

En seguida comenzó a llover intensamente. Mientras la mujer preparaba una sopa con gesto hosco, el granjero y su invitado se sentaron en torno a la mesa, bajo la atenta mirada de un muchacho que los observaba desde un rincón.

—¿De modo que eres un elfo?

—Sí, eso es lo que soy.

—Nunca había visto a nadie como tú. Eres extraño.

—A mí en cambio me parecen extraños los humanos. Supongo que depende del punto de vista de cada uno.

El granjero lo miró en silencio.

—Supongo que sí —dijo finalmente; después añadió, cambiando de tema—: Hay un camino que cruza las montañas. Es apenas una senda para cabras, pero se puede pasar.

Ankris le mostró el mapa, pero el granjero le dijo que no sabía leer ni entender los planos, de manera que se lo explicó verbalmente. Mientras el hombre hablaba, Ankris lo escuchaba con atención, tratando de retener toda la información en su memoria; tal vez debido a ello no se percató de que el muchacho, a un gesto de su madre, se deslizaba fuera de la cocina y, momentos después, salía disparado a caballo de la granja, desafiando a la tormenta.

—Si hubieras preguntado en el pueblo, te lo habrían dicho.

—No he pasado por el pueblo.

—¿No? Pues viene de camino para llegar hasta aquí.

Ankris se encogió de hombros, algo incómodo.

—Lo cierto es que suelo evitar las poblaciones.

El granjero lo miró inquisitivamente, y el elfo añadió con suavidad:

—Soy un elfo. En esta región, tan alejada de mi tierra, se me considera un ser muy extraño, y no en todas partes se me acoge con tanta amabilidad como aquí. No quiero problemas.

—Comprendo —asintió el granjero, pero no dejó de mirarlo fijamente—. Yo sí he estado en el pueblo esta mañana.

Calló y siguió con la vista clavada en él, como si esperara una reacción por su parte. Ankris empezó a sospechar que pasaba algo raro.

—Debe de ser un lugar agradable —comentó, por decir algo.

—Hoy están de luto —dijo el granjero, y volvió a mirarle.

Ankris no supo muy bien cómo se suponía que debía reaccionar.

—Lo siento mucho. ¿Se trataba de alguien muy querido?

—Un muchacho muy joven. Una desgracia.

—Lo siento —repitió Ankris.

—Anoche no volvió a casa —prosiguió el hombre—. Todo el pueblo se echó al monte a buscarlo. Encontraron su cuerpo de buena mañana. Había sido devorado por un enorme lobo.

Ankris se quedó petrificado. No podía ser cierto. El somnífero...

Un brillo de triunfo iluminó los ojos del granjero en cuanto vio la expresión de terror en el rostro del elfo.

—Sabía que eras tú, maldito demonio —dijo solamente.

Ankris percibió un movimiento a su espalda y solo tuvo tiempo de volverse antes de ver a una furibunda granjera descargando una pesada sartén sobre su cabeza.

Y todo se puso negro.

Cuando abrió los ojos estaba atado de pies y manos, echado sobre el suelo polvoriento, y el granjero lo vigilaba apuntándole el pecho con un enorme rastrillo.

—Eres un demonio, ¿verdad?

—No soy un demonio —gimió Ankris, todavía con dolor de cabeza—. Soy un elfo.

—Mientes. Eres un demonio y un asesino.

Ankris cerró nuevamente los ojos, tratando de pensar. No podía haber sido él. Había despertado exactamente en el mismo lugar donde se había transformado y, por otro lado, no había hallado restos de sangre en sus uñas.

—No he sido yo. Lo juro.

—Eres un embustero. Te han visto transformándote esta mañana.

«La niña», pensó Ankris. «No fue un sueño». Maldijo su mala suerte. En cualquier otro momento nadie la habría creído. Pero justamente ahora...

No valía la pena negarlo.

—Pero no fui yo —insistió—. Tengo una pócima, ¿entiendes? Puedes ver que guardo un frasco en mi bolsa. Eso me vuelve inofensivo y, aunque me transformo, me quedo profundamente dormido y no hago daño a nadie. La prueba es que no he atacado a esa niña ni...

Calló de pronto al darse cuenta de que cada palabra que pronunciaba empeoraba la situación. Los granjeros lo contemplaban horrorizados.

—¡Monstruo! —dijo la mujer.

—Voy a la Torre —explicó Ankris—. Me han dicho que allí tal vez puedan curarme. Juro que yo no...

El granjero avanzó hacia él y lo golpeó con furia.

Ankris perdió el sentido de nuevo.

−... Lo ha confesado. Ha dicho que es un hombre-lobo.

−Pero si ni siquiera es un hombre. Mirad, es todo piel y huesos.

−Es un demonio.

−Un trasgo.

−Dijo que era un elfo.

−Tú, a callar. Los elfos nunca vienen por aquí.

−El chico tiene razón: es un elfo. He visto unos cuantos y puedo asegurarte que este se parece bastante a ellos.

−¿Y cuál es el problema?

−Que los elfos no padecen la licantropía. No les afecta la mordedura del hombre-lobo o, si lo hace, desde luego saben cómo tratarla.

−¡A este lo vieron transformándose!

−¡Bah, una niña que tiene demasiada imaginación!

−¿Qué más pruebas necesitas? Anoche fue luna llena y un lobo mató a Yani. Y luego viene la niña diciendo que ha visto a un lobo que se convertía en un extraño ser de orejas puntiagudas... ¡que viene a llamar a mi puerta!

Ankris volvió lentamente a la realidad. Las voces seguían hablando de él. Había reconocido algunas: el granjero, su mujer y la voz de alguien más joven, probablemente el muchacho que había visto al entrar. Pero también había una cuarta voz, una voz chillona que replicó, impaciente:

—Sí, pero es un elfo, y no hay elfos licántropos, te digo.

—Puede que sea un mago —intervino el chico—. He oído decir que algunos magos pueden convertirse en animales.

—Bobadas —replicó el granjero—. Y, aunque así fuera, ¿qué cambia eso?

—¡Claro que lo cambia! No puede ser esta la criatura que andaba buscando ese hombre. Y, si lo es, desde luego se trata de un ser excepcional, puede que una mutación. Me gustaría investigarlo.

—¿Investigar qué? ¡Es un monstruo! Y cuando venga el Cazador acabará con él.

—Pero, ¿y si no es este? —replicó el individuo de la voz chillona—. ¿Y si lo mata, se lleva su cadáver y nos quedamos nosotros con el verdadero monstruo rondando por los alrededores? Para cuando vuelva a matar en la próxima luna llena, el Cazador estará ya muy lejos y no vendrá a echarnos una mano.

—Ya está tardando mucho —intervino la granjera, nerviosa—. ¿Le habrá pasado algo?

—Calma, mujer. Han salido a buscarlo al bosque, y con esta tormenta...

—No me gusta tener a esa cosa en mi casa.

—Yo creo que, antes de que venga, debemos comprobar si es realmente la criatura que busca. Pero apuesto lo que queráis a que no.

Ankris logró abrir los ojos. Junto a la familia que lo había capturado vio a un viejecillo de barba puntiaguda que lo observaba a través de los lentes redondos que bailaban sobre la punta de su nariz.

—¿Habéis visto qué ojos? Élficos, sin duda —se ajustó los lentes y asintió para sí mismo—. De color... ¿dorado? No, más bien es un color parecido a la miel. O al ámbar. Curioso, muy curioso.

—¿Quién eres tú? —pudo articular Ankris.

—Fulgus el Sabio me llaman —respondió jovialmente el hombrecillo—. Tienes suerte de que eligiera hace años este pueblo como lugar de retiro. Porque solo yo puedo sacarte de esta, amigo elfo.

—¿Cómo?

—Voy a demostrar que no eres ningún licántropo.

—Pero...

—¡Tsé, tsé, tsé! —interrumpió Fulgus—. A mí no tienes que darme explicaciones. Hace tiempo que estudio a los licántropos —son seres fascinantes—, puedo reconocer un hombre-lobo en cuanto lo veo, y sé que tú no eres uno de ellos.

El granjero resopló con escepticismo. El sabio se volvió hacia él.

—Da la casualidad que he traído un frasco con un brebaje de mi invención que obliga a los licántropos a transformarse incluso cuando no hay luna llena. No tenemos más que darle un poco y...

—¿Qué? —estalló la granjera—. ¿Quieres que se convierta en un monstruo aquí, en mi casa?

—No va a transformarse, ya te lo he dicho.

—Entonces, ¿cómo sabemos que tu potingue funciona? —le espetó el granjero.

El sabio lo miró, muy ofendido. Volvió a ajustarse las gafas y dijo, muy digno:

—Si crees que no funciona, no te importará que lo pruebe, ¿no?

El granjero abrió la boca para decir algo, pero el sabio ya se dirigía a Ankris con una redoma que contenía un líquido rojizo.

—Abre la boca, amigo elfo, y bébete esto como un niño bueno.

—¿Qué? —Ankris forcejeó, pero estaba atado de pies y manos—. ¡Para! ¡No sabes lo que haces!

—Venga, no te resistas. Es por tu bien.

Ankris apartó la cara. Vio que el hijo de los granjeros se acercaba a su padre y le decía:

—Toma, por si acaso. Lo he sacado de su bolsa.

El granjero cogió el puñal y lo examinó con ojo crítico.

—No parece muy sólido.

El sabio se volvió hacia él.

—No-no-no, el chico tiene razón. Ese puñal es de plata. Si este elfo es una bestia —cosa que, sinceramente, dudo mucho—, esa daga será la mejor arma contra él.

Ankris sintió que hervía de ira. Ya lo habían humillado bastante.

—¡Déjalo donde estaba! —estalló—. ¡No tienes derecho a...!

Pero no pudo terminar; Fulgus había aprovechado para introducirle la cuchara en la boca, y el elfo, cogido por sorpresa, tragó instantáneamente.

El sabio dio un paso atrás y lo miró, muy satisfecho.

—¿Veis como no pasa nada?

Ankris sintió de pronto que algo despertaba en su interior. Algo que, por desgracia, conocía muy bien. Clavó en Fulgus una mirada desesperada.

—¿Qué... has hecho? —pudo decir.

La transformación fue mucho más rápida que de costumbre, e infinitamente más dolorosa. Ankris gritó mientras su cuerpo se metamorfoseaba ante el sabio y los granjeros, que lo contemplaban mudos de terror. Cuando rompió las cuerdas que lo retenían y los miró, el rostro a medio transformar, los ojos reluciendo con un brillo salvaje, la mujer chilló, y Fulgus dijo solamente, sin poder apartar la vista de él:

—Fascinante.

Un nuevo espasmo. Ankris gritó y la transformación se consumó. La bestia había despertado de nuevo.

Con un gruñido, el lobo fue a saltar sobre ellos, pero el granjero reaccionó por fin y se lanzó sobre él, cuchillo en mano. La daga se le clavó en el hombro; el dolor fue intensísimo, y la bestia gimió y retrocedió. El granjero lanzó otra estocada que le acertó en el estómago. El lobo aulló y buscó una vía de escape.

—¡Remátalo, padre! —gritó el muchacho, pero el granjero alzó las manos, compungido: la daga se había quedado hundida en la carne de la bestia.

Loco de dolor, el lobo saltó a través de la ventana, destrozándola, y se perdió en la noche.

El Cazador llegó momentos más tarde. Sorprendió al granjero tratando de estrangular al sabio, mientras la mujer y el chico intentaban separarlos, pero eso no le preocupó. Una breve mirada a la escena le bastó para saber que su presa se había vuelto a escapar. Sin una palabra, dio media vuelta y salió en pos de la bestia, aventurándose bajo la lluvia torrencial.

Sabía que la presa estaba herida y no le llevaba mucha ventaja.

IX

EL CAZADOR

Cuando Ankris volvió en sí, no le gustó nada lo que vio. Por fortuna, los efectos del brebaje del sabio no duraban mucho y ya había recuperado su cuerpo de elfo. Pero aquí se acababan las buenas noticias.

Estaba en pleno bosque, solo, mojado y herido, con los restos de sus ropas pegados al cuerpo. Aún era de noche y seguía lloviendo intensamente. Trató de incorporarse, pero se dejó caer en seguida, con un gemido de dolor. No podía mover el brazo izquierdo y le dolía mucho la herida del estómago. Palideció aún más cuando vio que el puñal seguía clavado en su abdomen. Apretando los dientes, se lo sacó de un tirón. El dolor fue tan intenso que Ankris, ahogando un grito, se dejó caer de nuevo sobre el suelo mojado. No tardó en darse cuenta de que la herida era grave, muy grave. Sangraba mucho y parecía como si la hoja de plata le hubiese quemado la carne en esa zona. También tenía una herida similar en el hombro izquierdo, y era este el motivo por el cual no podía mover el brazo. Jadeando de dolor y cansancio logró enderezarse un poco, apoyando la espalda contra el tronco de un árbol. No sabía dónde estaba ni en qué dirección quedaban las montañas, donde podía tratar de encontrar un refugio hasta que pasase la tormenta.

Ankris recordaba vagamente lo que había sucedido en la casa del granjero desde que se había transformado en lobo. Pero después de saltar por la ventana, la bestia había dominado su mente por completo y ya no sabía nada más. Tanteó a su alrededor en busca de su morral, pero no lo encontró. Maldijo su mala suerte por enésima vez. Todas sus cosas se habían quedado en casa del granjero. Todo. Incluido el frasco con su pócima y —lo que era peor— el pergamino con las instrucciones para elaborarla de nuevo. Lo único que le quedaba, irónicamente, era la daga de plata de su padre, aquella daga que iba a causarle la muerte.

Intentó levantarse y llegó a caminar algunos pasos, pero las piernas le fallaron y cayó de rodillas al suelo. En ese momento, un relámpago iluminó el cielo... y la figura de un enorme e imponente humano que, plantado ante él, lo miraba fijamente, apuntándolo con una ballesta cargada.

—A... yúdame, por favor —pudo decir Ankris—. Estoy herido...

Los ojos del hombre no mostraban ninguna emoción. Ankris no lo sabía entonces, pero aquel rostro poblaría durante mucho tiempo sus peores pesadillas.

Su visión de elfo, que le permitía ver mejor que el humano en la oscuridad, le salvó la vida en esta ocasión. Porque vio claramente cómo el hombre disparaba la ballesta, y solo tuvo apenas un segundo para rodar por el suelo y esquivar la flecha, que se clavó en la tierra embarrada, peligrosamente cerca de su cara.

Ankris, horrorizado, sintió que multitud de preguntas acudían a su mente. Pero el instinto y el ansia de supervivencia lo obligaron a saltar para ocultarse entre los matorrales. Oyó gruñir al hombre tras él y, haciendo acopio de sus últimas fuerzas, se puso en pie y echó a correr bajo la lluvia.

La persecución fue breve, pero horrible para el elfo, quien, sin fuerzas, herido de muerte, se arrastraba como podía por el bosque, buscando desesperadamente un refugio. No sabía quién era aquel humano que lo perseguía implacablemente, pero no quería quedarse a averiguarlo. Jadeando, sintiendo que se le escapaba la vida gota a gota y sin fuerzas para plantar cara y luchar, la única ventaja que tenía sobre su perseguidor era su visión élfica, que le permitía orientarse mejor en la noche. Fue este el único motivo por el cual logró esquivar algunas flechas más. Pero, finalmente, una de ellas se clavó dolorosamente en su pierna derecha y lo hizo caer, cuan largo era, sobre un charco.

Agotado, Ankris no tuvo fuerzas para moverse ya. Quedó de bruces en el suelo, desangrándose, sujetando el puñal en la mano; sabía que aquella daga de plata no lo salvaría de su despiadado perseguidor y, por eso, sintiéndose derrotado, ya no se movió.

—Al fin te tengo, sabandija —gruñó el hombre.

Ankris oyó, por encima del murmullo de la lluvia que seguía cayendo sin piedad sobre los dos, cómo el humano cargaba su ballesta. Cerró los ojos y esperó.

Pero la muerte no llegó.

Hubo un sonido parecido a un siseo, y un grito de dolor. Ankris abrió los ojos y vio una sombra sobre él, y después la noche se iluminó con una extraña luz verdosa que parecía sobrenatural.

—Vámonos —dijo una voz seca en su oído.

Y Ankris ya no vio ni oyó nada más.

Los días siguientes los pasó consumido por la fiebre, cabalgando entre pesadillas en las que se mezclaban el granjero, Shi-Mae, el sabio, Aonia, el brujo, los soldados del rey y, por encima de todo, el rostro de ojos de piedra de aquel hombre lo suficientemente desalmado como para perseguir a un elfo malherido e indefenso por todo el bosque, como si fuese un animal.

Tardó bastante en abrir los ojos y, cuando lo hizo, se encontró en una choza desordenada pero cálida, tendido sobre una cama de hierbas. Un alegre fuego ardía en un rincón y al elfo le pareció ver que proyectaba sobre la pared la sombra de un lobo. Pero en seguida cayó de nuevo en su delirio y olvidó rápidamente lo que había visto, asimilándolo a las imágenes que aparecían en sus sueños.

Una vez abrió los ojos y se encontró en la cabaña que había creído ver en sueños. Solo que esta vez era consciente de estar despierto.

Era de día y la luz del sol se filtraba por la pequeña ventana. Junto a él, preparando algo en un caldero, se hallaba un hombre de cabellos grises, vestido con ropas pardas y tocado con un gorro que le cubría casi toda la cabeza.

—¿Dónde... estoy? —logró murmurar Ankris.

El hombre se volvió hacia él y lo miró, y el elfo sintió una extraña sensación de familiaridad, de empatía, a pesar de que estaba completamente convencido de que no lo había visto nunca.

—Estás en mi casa —dijo—. A salvo.

—Me... perseguían.

—No te preocupes por el Cazador. Ya me he encargado de él.

El Cazador... el rostro del hombre que había estado a punto de asesinarlo acudió de nuevo a su mente, y el elfo no pudo evitar un estremecimiento.

—¿Lo has... matado?

—No. Y no por falta de ganas, créeme. Pero de momento estás a salvo, así que descansa; lo necesitas.

Ankris quiso darle las gracias, pero el cansancio lo venció y volvió a sumirse en un agitado sueño.

La siguiente vez que despertó, el hombre seguía allí y le estaba cambiando las vendas del hombro.

—Fea herida —comentó en cuanto lo vio con los ojos abiertos—. Muy fea. Plata, ¿eh? Mala cosa. Tuviste suerte de que te encontrara.

—¿Quién eres?

—Un amigo. Pero, si lo prefieres, puedes llamarme Novan.

—Yo soy Ankris.

—*Jankris*, ¿eh?

—No; Ankris.

—Eso he dicho: *Jankris*.

El elfo no insistió. Ya se había dado cuenta, hacía tiempo, de que los humanos pronunciaban con mucha rudeza las musicales palabras élficas. Aquel en concreto no parecía ser una excepción.

Ankris pasó los siguientes días entre el sueño y la vigilia. Durante los momentos en que permanecía despierto, averiguó más cosas.

Novan era un mago, aunque no vistiera la túnica roja con la que solían ataviarse los de su clase. La cabaña que era su hogar se alzaba en un lugar de difícil acceso al otro lado de las montañas. Al intervenir para salvar al elfo había empleado un conjuro de ataque, pero, si bien había logrado herir al Cazador, su magia no le había causado tanto daño como esperaba.

—No pude entretenerme más, así que te saqué rápidamente de allí, utilizando el conjuro de teletransportación, que permite viajar instantáneamente...

—... a un lugar que hayas visto antes —asintió Ankris—. Sí, lo sé.

Novan lo miró con un brillo extraño en la mirada.

—¿Acaso eres un mago?

—No. Pero sí lo era alguien que estuvo muy cercano a mí.

Sonrió con tristeza al recordar cómo había visto a Shi-Mae practicando aquel hechizo. Era un conjuro muy útil, pero solo los magos expertos lograban realizarlo en cualquier situación; requería mucha concentración enviar la mente hacia el lugar de destino, y si el mago sentía miedo, nervios o ansiedad, el hechizo no funcionaba.

Por ello, Ankris miró a Novan con un nuevo respeto. O era un mago muy experimentado o tenía los nervios de acero... o, simplemente, no temía al Cazador.

—Al teletransportarte hasta aquí —prosiguió Novan—, he hecho que el Cazador pierda tu rastro. Tardará mucho en encontrarte.

Ankris preguntó por el Cazador, pero el mago no quiso hablar del tema hasta que el joven se sintió algo mejor. Cuando ya parecía que las heridas sanarían bien y Ankris recuperó parte de sus fuerzas perdidas, ambos mantuvieron una seria conversación en el porche, bajo la luz del atardecer.

—Mira esto —dijo el mago, enseñándole una flecha.

El elfo la cogió con precaución.

—¿Es del Cazador?

—Sí. Fíjate en la punta.

Ankris la observó de cerca.

—Plata.

—De la mejor calidad —asintió Novan—. Ese tipo es un profesional.

—¿Qué quieres decir?

—Que alguien lo contrató para matarte, muchacho. Ningún Cazador malgasta sus flechas por nada. Aunque este es especialmente sádico. Me refiero a lo de perseguirte por el bosque y todo eso. La mayoría de los Cazadores solo matan hombres-lobo las noches de luna llena. Es como una especie de código de honor, ¿sabes? Aunque, bien mirado, es una tontería, porque matando al lobo matan al hombre de todas formas. Pero en principio no abatirían a un licántropo con forma humana. O élfica, en tu caso.

Ankris se había quedado mirándolo con la boca abierta.

—¿Lo sabes?

El mago rió suavemente.

—Chico, claro que lo sé. En otro momento hablaremos de eso. Ahora me interesa saber quién ha contratado a un Cazador para matarte.

Ankris se estremeció.

—No me buscaba a mí.

—Claro que sí; llegó a la región poco después que tú. De hecho, en el pueblo ya sabían de su presencia cuando tú llamaste a la puerta de esa granja. Fueron a buscarlo en cuanto te atraparon.

—¿Cómo sabes...?

—He hecho averiguaciones. Dime, ¿no lo habías visto antes?

—No. Y, que yo sepa, nadie en tierras de humanos sabía hasta ahora que yo soy... lo que soy. Por eso no es posible que me esté persiguiendo a mí. No puede estar siguiéndome desde el Reino de los Elfos.

—¿Por qué no? ¿Nadie te odia allí?

Ankris entrecerró los ojos; las palabras de Shi-Mae en el juicio todavía resonaban en su mente. Pero... ¿le odiaba ella tanto como para enviar a un asesino tras sus pasos?

—Entiendo —asintió el mago al ver su expresión—. Tú y yo tenemos mucho de que hablar. Te queda mucho por aprender, *Jankris*.

—Lo dices mal —repitió el elfo por enésima vez—: es Ankris... tienes que hacer vibrar la «n»... y una «s» más silbante... y no pronuncies la «k» tan fuerte... y... no sé, también tiene que ver con el tono, lo dices todo igual, cuando en realidad una sílaba tiene un tono más alto que la otra... ¿entiendes? Ankris.

—Rectifico: te queda mucho por aprender, elfo.

Aquel día no le contó nada más, pero Ankris pronto averiguó más cosas. Días más tarde, el mago regresó a la cabaña después de una tarde en el bosque y arrojó a los pies del elfo un venado ensangrentado.

—¿Qué es esto?

—La cena.

Ankris se inclinó para examinarlo. Algo de gran tamaño había clavado sus enormes y afilados colmillos en la garganta del animal.

—¿Qué lo ha matado?

—Yo —respondió Novan con una torcida sonrisa.

Ankris pensó que era una broma. Aún no terminaba de captar el peculiar humor de los humanos, y mucho menos el del mago con el que compartía la cabaña. Pero apenas dos días después, de nuevo sentados en el porche, contemplando el atardecer, ambos mantuvieron otra conversación importante, y el elfo comprendió entonces que no se trataba de una broma, ni mucho menos.

—Pronto será luna llena —le explicó Ankris.

—¿Y qué?

—Que me transformaré. Y ya no tengo mi poción. Lo mejor será que me marche lejos, para asegurarme de que no te hago daño.

—¿Tú? ¿A mí? —se burló Novan—. Ya querría verte intentándolo, muchacho.

Ankris sintió que la ira lo llenaba por dentro.

—Tú no lo entiendes, mago. Soy un asesino. Soy una bestia salvaje todas las noches de luna llena. Yo que tú no bromearía con eso.

Novan le dirigió una sonrisa siniestra.

—Yo no bromeo con esas cosas, elfo. Y no me asusta nada de lo que hayas podido hacer. Porque te aseguro, amigo mío..., que yo soy cien veces peor.

Y, todavía con aquella sonrisa en los labios, Novan se levantó y retrocedió unos pasos.

Y entonces se transformó.

Ankris se levantó de un salto, espantado, mientras el cuerpo del mago se cubría de pelo negro, su rostro se transformaba en un hocico y sus manos en garras. Y cuando, bajo la forma de un enorme lobo, Novan volvió a mirar al elfo, pareció casi como si se riera.

—¿Sorprendido? —gruñó.

—Soy un Señor de los Lobos —le explicó más tarde, ya metamorfoseado en hombre, cuando ambos, sentados nuevamente en el porche, contemplaban las estrellas—. Eso quiere decir que soy un hombre-lobo capaz de controlar mis cambios.

Ankris recordó lo que su amigo el brujo le había contado al respecto.

—Pero se necesitan siglos para lograr tanto autodominio —dijo.

—Bueno, yo solo necesité ciento veinte años —al ver que Ankris lo miraba con sorpresa, Novan sonrió—. Y ahora tengo doscientos cincuenta y tres. Ya ves, soy mayor que tú, a pesar de ser humano. ¿Cuál es tu edad? Algo más de un siglo, ¿verdad? No me mires así, elfo: soy un mago y conozco conjuros rejuvenecedores que alargan la vida. Aun así, no soy inmortal, y ya ves que tampoco soy precisamente un mozo. En cambio tú, cuando tengas mi edad, todavía serás joven, ¿me equivoco?

Ankris guardó silencio durante un momento, asimilando la información. Después, dijo:

—¿Eso quiere decir que puedes transformarte cuando lo deseas?

—Así es.

—Entonces, ¿por qué te transformas? Si yo hubiese logrado lo que tú, jamás volvería a ser un lobo.

—¿Eso crees? —Novan soltó una risita baja—. Pues te equivocas. El lobo es nuestro poder y nuestra fuerza, muchacho. La licantropía no es una maldición, sino un don.

Ankris lo miró horrorizado.

—Pero tú ya no matas, ¿verdad? Quiero decir... que no asesinas a otros humanos.

Novan se rió de nuevo.

—Qué divertido eres, mi querido elfo. ¿Qué te hace suponer eso?

—¡Pero puedes controlar tus cambios! —casi gritó Ankris—. ¡Puedes elegir dejar de ser un asesino!

—¿Puedo elegir... igual que has hecho tú? —se burló—. Sí, claro, chico, tú no eres un asesino y todo el mundo estará convencido de que tienes buenas intenciones. Como aquellos granjeros, que intentaron asesinarte a pesar de que tú les aseguraste que no eras peligroso, ni habías matado al muchacho del pueblo, ¿verdad?

Ankris comprendió, de pronto.

—Fuiste tú. Tú lo mataste.

Novan se encogió de hombros.

—Salí de caza. Y, si no lo hubiera hecho, tú ahora estarías muerto. ¿No lo habías pensado? El Cazador vino a buscarte y salió al bosque la última noche de luna llena. Y se pasó horas persiguiendo mis huellas, pensando que eran las tuyas. Gracias a eso no te encontró durmiendo en tu cueva, absolutamente indefenso. ¿Qué habría sucedido entonces, eh? Y no te equivoques: aunque odio a los Cazadores, no los culpo; ellos existen porque hay personas que los contratan. No importa que luches contra la bestia y la domines, para ellos siempre serás un monstruo.

—No es verdad —musitó Ankris, pálido—. Eres horrible, Novan.

El mago rió suavemente.

—Te invito a salir de caza este plenilunio, ¿qué me dices? ¿Te apuntas?

—Por supuesto que no —respondió inmediatamente Ankris, horrorizado.

A pesar de sus palabras, Novan regresó al pueblo a petición del elfo, para tratar de recuperar sus cosas. Cuando volvió, las noticias que traía no eran precisamente alentadoras.

—El sabio intentó impedirlo —le explicó—, pero no le hicieron caso: han quemado todas tus pertenencias en una hoguera en la plaza, como si estuvieran apestadas.

—Oh —dijo Ankris solamente, mientras una espantosa sensación de abatimiento caía sobre él.

—Alégrate; el Cazador sigue allí, hecho una furia porque no sabe dónde buscarte.

—¿Lo has visto? ¿No te ha reconocido?

—Un mago sabe cómo pasar inadvertido, joven elfo.

—Qué bien —replicó Ankris, de mal humor.

—Puedo encerrarte —le propuso el mago súbitamente—. En una cárcel mágica, quiero decir. Eso te volverá inofensivo la noche del plenilunio.

—¿Lo harías?

—Oh, sí; pero no creo que sea una buena idea. Te vas a perder toda la diversión.

—Mejor eso que ser un monstruo.

—Chico, tú ya eres un monstruo, lo quieras o no. No merece la pena luchar contra ello.

—Eso no es verdad.

—Hagamos una prueba, entonces. Intentemos el método contrario. Conozco un conjuro que puede despertarte: conservarías tu conciencia racional incluso después de la transformación, y ambas mentes, la del elfo y la de la bestia, dominarían a la vez tu cuerpo de lobo. Si tanto interés tienes en derrotar al lobo, atrévete a mirarlo cara a cara. En igualdad de condiciones, ¿quién crees que vencería?

Ankris no contestó.

El primer plenilunio que pasó en la cabaña de Novan optó por la solución de la prisión mágica. El hechicero trazó unas señales en el suelo en torno a él y realizó otras operaciones que Ankris no fue capaz de identificar; pero, cuando el círculo se cerró, el elfo fue completamente incapaz de salir de él. Era como si una barrera invisible le cerrara el paso.

—Armarás mucho escándalo cuando te transformes y trates de escapar de ahí —le advirtió el mago—. Por suerte, estamos muy apartados de cualquier lugar habitado, y además he aplicado un conjuro protector sobre la cabaña para ocultarla de miradas no deseadas. Aun así, no me parece que esta sea una buena solución; es una noche demasiado bonita como para quedarse en casa.

Riendo suavemente, Novan se metamorfoseó en lobo y, antes de salir por la puerta, le dijo a Ankris:

—Hasta mañana, cachorro. Nos veremos al amanecer.

El elfo quiso decir algo, pero en ese momento la bestia comenzó a despertar en su interior y tuvo que concentrarse para sobreponerse al dolor.

Por fortuna, todo fue bien, y al día siguiente despertó encerrado todavía en la prisión mágica. También Novan dormía sobre el camastro, pero se despertó en cuanto oyó que Ankris se movía.

—Buena cacería, ¿eh? —bostezó, desperezándose—. Oh, perdona, olvidaba que anoche te quedaste en casa.

—Sácame de aquí —gruñó Ankris.

Los días siguientes permaneció silencioso y pensativo. En su interior latían sentimientos contradictorios. Por un lado, odiaba y temía todo lo que Novan era y representaba; por otro, el mago le había salvado la vida y, además, era la primera persona que lo había aceptado tal y como era. Porque incluso sus padres y el brujo sentían horror hacia aquella parte de sí mismo que Novan encontraba tan natural. Y descubrió que, a pesar de todo, se sentía a gusto con el mago, en aquella cabaña en la montaña, y aquello le daba miedo.

Sin embargo, las heridas de su cuerpo casi habían sanado ya, y ello significaba que pronto estaría listo para partir de nuevo.

Se lo dijo a Novan una tarde.

—¿Y adónde te diriges, si puede saberse?

—A la Torre, en el Valle de los Lobos.

El rostro del mago se ensombreció.

—¿No has oído las nuevas?

—No. ¿Por qué? ¿Qué pasa?

—El Valle de los Lobos está maldito, muchacho.

—¿Qué? Eso son tonterías. La Señora de la Torre nunca lo permitiría. Ella...

—La Señora de la Torre está muerta.

Ankris acogió la noticia con un incrédulo silencio.

—No es verdad —balbuceó finalmente.

—Sí lo es. Nadie sabe muy bien qué sucedió, pero parece ser que alguien la traicionó. Ahora, la Torre está abandonada y dicen que una maldición pesa sobre ella. Lástima. De las cuatro Escuelas de Alta Hechicería que había en tiempos antiguos, ahora ya solo quedan dos.

—No puede ser verdad. Ella no puede estar muerta. La vi hace...

Le costó un poco sacar las cuentas. Había pasado casi un año desde su encuentro en la Escuela del Bosque Dorado, el día en que Shi-Mae había superado la Prueba del Fuego.

—Si tienes mucho interés en ello, podemos comprobarlo —ofreció Novan.

Aquella tarde realizó un conjuro de visión mágica; y así, en una jofaina que contenía aguas encantadas, el mago hizo aparecer la imagen de la Torre.

Y fue una escena desoladora; porque, a pesar de que se trataba de un edificio enclavado entre montañas, grande y majestuoso, rematado por una alta aguja, presentaba un aspecto lúgubre y abandonado. Los lobos aullaban amenazadoramente desde el bosque e incluso Novan se estremeció al escucharlos.

—¿No los oyes? —susurró—. No aúllan como los demás lobos. Están malditos, muchacho, malditos, y no permitirán que nada ni nadie invada su territorio.

Ankris asintió sobrecogido. También él había entendido el mensaje de los lobos del valle.

El agua mágica les mostró, a petición del hechicero, una imagen del interior de la Torre. Ambos recorrieron sus estancias y pasillos sin moverse de la cabaña de Novan, y solo vieron silencio, soledad y desolación.

Nadie vivía ya en la Torre, y había en ella algo siniestro que ponía la carne de gallina.

—¿Qué ha pasado aquí? —susurró Ankris, aterrado.

Novan suspiró y movió la cabeza.

—No lo sé. Pero ahora ya estoy seguro de que la Señora de la Torre está muerta. Porque jamás habría permitido que sucediera algo así.

La jofaina les mostraba ahora una imagen de la planta baja de la Torre. A Ankris le pareció ver, de pronto, una sombra baja que se deslizaba por el corredor, pero desapareció en seguida, y el elfo pensó que había sido fruto de su imaginación.

—¿Ya has visto bastante?

Ankris asintió gravemente. Sabía que Novan no lo engañaba y que la visión era cierta, porque había visto a Shi-Mae realizando conjuros similares. Sintió una punzada de dolor. Se suponía que lo que aprendía en la Escuela era secreto, pero a ella le gustaba compartir con él sus nuevos hallazgos. Habían estado muy unidos. Una vez más, Ankris se preguntó cómo era posible que ella lo hubiese traicionado de aquella manera.

La imagen tembló y desapareció, y el agua de la jofaina volvió a ser solamente agua.

—Si la Señora de la Torre está muerta —dijo Ankris en voz baja—, ya nadie puede ayudarme.

Novan se encogió de hombros.

—Te dije que no merecía la pena luchar.

Durante los siguientes días, Ankris se encerró todavía más en sí mismo, considerando todas las alternativas y tratando de encontrar una salida a su situación. Poco a poco iba recuperando fuerzas, pero ya no tenía a donde ir. Y así, cuando ya se acercaba la siguiente luna llena, Ankris se sorprendió a sí mismo preguntándole a Novan:

—¿Cuándo podemos probar ese conjuro del que me hablabas, para despertar mi conciencia durante el plenilunio?

El mago sonrió.

X

LA MEMORIA DEL PASADO

FUE UNA SENSACIÓN EXTRAÑA. La transformación fue igual de dolorosa, pero en esta ocasión no sintió el miedo cerval que lo invadía cada vez que su conciencia caía en aquel oscuro pozo sin fondo del que nunca sabía si iba a escapar. Esta vez fue muy consciente de todo lo que sucedía, percibió que la bestia despertaba, pero no lo echaba a él fuera de su cuerpo. Durante un momento, la mente del elfo y la del lobo se observaron, cautelosamente y con desconfianza. Después, la conciencia del lobo, insegura, se retiró a un rincón, desde donde siguió observando, alerta.

Un poco receloso, Ankris trató de ponerse en situación. Se sentía extraño dentro de aquel cuerpo de lobo. Llevaba años transformándose, pero nunca lo había experimentado de aquella manera.

A su lado Novan, metamorfoseado en un enorme lobo negro, lo observaba riéndose entre dientes.

—Sienta bien, ¿eh? —dijo solamente, y su voz sonó como un gruñido.

Ankris quiso responder, pero solo ladró.

—No creas que es tan fácil —dijo Novan—. Necesitarás algo de práctica. Vamos, sígueme.

Novan saltó ágilmente fuera de la cabaña. Ankris lo siguió, inseguro todavía sobre sus cuatro patas. A pesar de todo, se sentía bien, y cuando salió al exterior y la luz de la luna llena bañó su cuerpo, una salvaje sensación de poder recorrió sus venas. Se notó más fuerte, más ágil y más despierto que nunca, como si todos sus sentidos captaran matices nuevos que nunca antes había experimentado. Embriagado por aquel descubrimiento, echó la cabeza atrás y aulló.

Novan se unió a él. Ambos aullaron bajo la luna llena y, cuando otros lobos les respondieron desde las montañas y el mago salió corriendo hacia allí, Ankris lo siguió con un ladrido de triunfo.

Aquella noche fue especial. Hubo una cacería y Ankris aprendió a utilizar su cuerpo de lobo, sus dientes, sus garras, sus poderosas patas. Entre varios, mataron a un ciervo y fue como en los viejos tiempos, cuando el elfo merodeaba por los bosques de su tierra liderando su propia manada, antes de transformarse completamente en lobo. Sin embargo, y a pesar de que se sentía muy a gusto con sus nuevos compañeros, su compenetración con Novan era mucho mayor. Ankris se descubrió a sí mismo admirando sus movimientos ágiles y seguros, su comportamiento, tan idéntico al de un lobo, a pesar de que seguía manteniendo aquel brillo de inteligencia en la mirada que demostraba que detrás del lobo existía una conciencia racional. Novan era un lobo, sí, pero también un hombre, y Ankris se dio cuenta de que lo envidiaba. Porque el lobo también era parte de él, y todo había sido perfecto hasta que la bestia había empezado a dominarlo las noches de luna llena.

«Tal vez podría ser como él», pensó Ankris. «Como Novan. Seguir siendo yo incluso cuando me transformo. Así nunca más mataría a nadie».

Sin embargo, una sombra empañó aquella recién descubierta alegría. Porque, cuando los dientes de los lobos desgarraron el cuello del ciervo, el olor de la sangre volvió loca a la bestia.

Ankris sintió que perdía el control. Con un gruñido salvaje, se abalanzó sobre la presa y hundió los dientes en su cuello, y una extraña sed de sangre recorrió su espina dorsal. Quería más, deseaba seguir cazando... y matando. «Solo es un ciervo», pensó su parte racional. Pero, en algún lugar de su mente, la bestia gruñó, satisfecha.

Durante los siguientes meses, salió con Novan todas las noches de luna llena y aprendió lo que era ser un auténtico lobo. Pero en las largas tardes de verano, el elfo y el hechicero se sentaban en el porche y conversaban.

—Puede que no sea tan malo ser un hombre-lobo —reflexionó Ankris un día—. Tal vez llegue a acostumbrarme.

—Tú no eres un hombre-lobo. Ni siquiera eres un hombre.

—Entonces, ¿qué soy?

Novan se lo pensó.

—Podría decirse que eres un elfo-lobo. Sí, eso es. Un elfo-lobo.

—Hace tiempo que tengo pensado cambiarme de nombre. Buscaría un nombre que estuviese relacionado con mi nueva condición, y que a los humanos no les resultase difícil de pronunciar. Pero no se me ocurre ninguno lo bastante apropiado.

Novan lo miró largamente.

—Eso significaría renunciar a tus raíces. Lo sabes, ¿no?

—No me importa. En mi tierra ya no me quieren.

Novan no respondió en seguida, pero, cuando lo hizo, le dijo:

—¿Sabes por qué sigues usando tu nombre élfico? Porque, a pesar de lo que digas, has dejado mucho atrás. Mientras no seas capaz de mirar al pasado sin dolor, nunca te forjarás una nueva identidad y un destino diferente.

Ankris no respondió. No comprendía del todo las palabras del mago, aunque sí intuía su significado, y durante los días siguientes meditó sobre ello.

No todas sus conversaciones eran tan profundas. En cierta ocasión, Ankris le preguntó cómo se las arreglaba para aparecer completamente vestido cuando se transformaba de nuevo en un ser humano.

—Es un truco muy útil que aprendí hace tiempo. En realidad es una variante del hechizo de invocación: llamas a tu ropa para que se materialice en torno a tu cuerpo cuando lo deseas.

—Suena muy complicado.

—Bah, solo es cuestión de práctica. Al principio tienes que concentrarte mucho para recordar el hechizo justo mientras te transformas, pero con el tiempo se convierte en algo automático. Te basta con imaginarte de nuevo con forma humana... y vestido.

—Me gustaría aprenderlo.

—Tendrías que ser un mago, cachorro. Y no creas que hay tantos magos en el mundo.

Así transcurrían los días, las semanas y los meses. El Cazador no había vuelto a dar señales de vida; Novan le explicó a Ankris que había protegido su casa con una serie de conjuros de ocultamiento que, aunque no la hacían invisible, sí reducían notablemente las posibilidades de que fuera vista por alguien.

A pesar de ello, Ankris no olvidó al Cazador. Por si regresaba, decidió que no lo encontraría desarmado, y se confeccionó su propio arco. Una mañana, Novan lo vio tallando las flechas con su daga de plata y se quedó mirándolo.

—Plata —dijo, como si escupiera—. ¿Por qué llevas eso encima? No es un buen material para trabajar la madera, es demasiado blando. Por no hablar del hecho de que es mortal para ti bajo tu otra forma. Y... ¡Que me aspen...!, ¿no es esa la cosa que te clavó el Cazador en la barriga?

—Sí, pero no me la clavó él. Esta daga es mía.

—¿Te la clavaste a ti mismo, entonces?

Sonriendo, Ankris le contó la historia de la daga. Un brillo de interés asomó a los ojos del hechicero.

—Déjame ver.

Cuando tocó el puñal, todo él se estremeció visiblemente, y cuando alzó la cabeza, al elfo le pareció ver un destello de odio profundo en su mirada. Pero fue solo un momento, porque en seguida se rió con cierto sarcasmo.

—Tiene gracia. Sí, tiene gracia.

Miró a Ankris como si lo viera por primera vez y sacudió la cabeza.

—Mucha gracia, sí —repitió y, aún riéndose entre dientes, se levantó y entró de nuevo en la cabaña.

El elfo no llegó a preguntarle qué le parecía tan divertido. Estaba empezando a acostumbrarse a sus bruscos cambios de humor.

Y así, con el tiempo, el joven elfo-lobo comenzó a sentirse sereno y a salvo por primera vez en muchos años. Todas las noches de plenilunio salía de cacería con Novan y los demás; la transformación era cada vez menos dolorosa, y ahora empezaba a lamentar no poder metamorfosearse siempre que lo deseara, como hacía el mago. Se sentía muy orgulloso de sí mismo porque, a pesar de todo, su mente racional seguía arrinconando a la bestia en un oscuro recoveco de su conciencia; porque podía ser un lobo cazador, pero no volvería a ser un asesino.

O, al menos, eso era lo que pensaba hasta que, una noche de luna llena, sucedió algo.

Siguiendo a Novan y los lobos de su manada, llegaron hasta un camino. Ankris se preguntó dónde se encontraban; estaba seguro de que vivían muy lejos de cualquier lugar habitado. Pero el mago se volvió hacia él con los ojos brillantes y Ankris supo que estaba planeando algo.

—Llévate a estos dos y esperad aquí, entre los matorrales —dijo—. Cuando yo dé la señal, atacad.

Ankris asintió. Ladró un par de veces y dos de los lobos de la manada, un macho y una hembra, lo siguieron hasta la maleza.

No tardaron mucho en oír el aullido de Novan; con un ladrido de alegría, Ankris saltó en medio del camino y los lobos lo siguieron.

Pero lo que llegó corriendo no era un ciervo, ni un venado, ni tampoco un alce.

Era un hombre.

Ankris se quedó quieto un instante. Se trataba de un pastor que corría aterrorizado, tropezando, tratando de huir de los lobos que lo perseguían implacablemente. Ankris quiso detenerlos, decirles que lo dejaran marchar; pero el hombre estaba herido, y el olor de la sangre enloqueció al lobo que acechaba en su interior.

«¡Basta!», quiso gritar, pero un sordo gruñido salió de su garganta y, antes de que se diera cuenta, la bestia tomó el control...

...como tantas otras noches, admitió Ankris, aterrorizado, mientras su cuerpo de lobo saltaba sobre el pastor. Como tantas otras noches en que se había dejado llevar por su ansia de sangre, creyendo que era algo natural y que controlaba en todo momento la situación. Y comprendió que no era así, que la bestia arrinconaba al elfo durante la matanza, y que para ella no había ninguna diferencia entre un alce y un hombre.

Ankris gritó y luchó por dominar al lobo, pero fue inútil. Y mientras clavaba sus dientes en el cuerpo del pastor, oyó tras de sí la risa seca de Novan, que contemplaba la escena satisfecho.

Al día siguiente, Ankris se encerró en un hosco silencio. Novan no intentó iniciar una conversación. Por la tarde, el elfo no pudo más y le espetó:

—Deberías haberme detenido.

—¿Por qué? Has matado otras veces. Y no me refiero a animales.

—No lo hice por voluntad propia. No fui yo, fue la bestia.

Novan inclinó la cabeza hacia él y lo miró fijamente a los ojos.

—La bestia y tú sois una sola cosa. Es eso lo que debes aprender. Además, a los animales los matas sin remordimiento. ¿Qué te hace pensar que un humano es mejor que un alce, o que un elfo es mejor que un ciervo?

—¡Por supuesto que lo son!

—No, cachorro, no lo son. Tú eres un elfo-lobo y son los lobos los que te aceptan, no los elfos, ni los humanos. ¿Por qué insistes en proteger a los que tanto te odian?

Ankris abrió la boca para responder, pero no encontró las palabras.

—Ellos no sienten ningún aprecio por tu vida, elfo —añadió el mago en voz baja—. Te lo digo por experiencia. Mira.

Se quitó la camisa que llevaba puesta y le mostró el torso lleno de cicatrices.

—La mayoría me las hicieron cuando yo todavía trataba desesperadamente de ser un humano como los demás, cuando quería que me aceptaran, cuando pedía ayuda a gritos. Y esta fue la respuesta de los humanos. Imagina cómo debieron de ser los golpes cuando, a pesar de la gran capacidad de regeneración de mi cuerpo de licántropo, me dejaron estas marcas. Podría haberlas hecho desaparecer con mi magia, pero las mantengo en mi cuerpo para no olvidar mi odio hacia ellos. ¿Ves esas cicatrices que parecen quemaduras de ácido? Esas no se irían ni con todos los hechizos de curación del mundo. Fueron producidas por armas de plata.

Ankris asintió gravemente. Él mismo tenía dos similares, una en el hombro y otra en el abdomen.

—No sé tú —reflexionó Novan—, pero yo prefiero cazar antes que ser cazado. Hazte a la idea, elfo, de que no eres como los demás y nunca lo serás. Esos humanos a los que intentas proteger no merecen tu compasión. Y no te sientas inferior a ellos, porque no lo eres. Al contrario. Tienes un poder que te pone por encima de los simples mortales. Utilízalo; no lo reprimas.

Ankris se estremeció; reparó entonces en una cicatriz que desfiguraba la espalda de Novan, entre los omóplatos.

—Esa casi me mata —gruñó el hechicero, advirtiendo su mirada—. Pero... a pesar de todo..., vencí yo.

—¿Lo... mataste?

Novan se volvió hacia él y lo miró fijamente con una extraña expresión en el rostro.

—No. Fue mucho mejor que eso, créeme. Entonces no lo sabía, pero ahora sé hasta dónde llegó mi venganza.

Ankris lo miró sin comprender, aunque en su mente se agitaron los más profundos velos de su memoria.

Por miedo a la bestia, el siguiente plenilunio quiso pasarlo encerrado en casa. Pero fue una agonía. Oía la llamada de la luna llena, los aullidos de los otros lobos, y sintió que moriría de desesperación si no salía de aquella cabaña. A aquellas alturas ya no le importaba si era el elfo o el lobo el que se asfixiaba allí dentro, porque sentía que los dos eran una sola cosa. Y, cuando Novan entró en la cabaña de madrugada, con una sonrisa socarrona en los labios, para liberarlo de su prisión mágica, a Ankris ya no le pareció un licántropo asesino, sino el hermano que venía a rescatarlo de un horrible y doloroso encierro.

Así fue como el elfo y la bestia se fundieron en uno. Ankris y Novan se convirtieron en el azote de la región, y el elfo-lobo ya no tuvo reparos en obtener víctimas humanas cuando lo acuciaba el hambre. Y cuando las perseguía a través del bosque, los montes o los caminos, recordaba cómo el Cazador lo había perseguido a él para abatirlo como a una alimaña. Y no sentía remordimientos, sino un profundo y rencoroso desprecio hacia la raza humana. En ocasiones, cuando se encontraba más despejado, se odiaba a sí mismo por haberse convertido en un asesino, pero una parte de sí le decía que el mundo no le había dejado otra opción. Al fin y al cabo, era bastante significativo que un licántropo homicida fuera la única persona que lo comprendía y lo aceptaba tal y como era. «Porque yo soy como él», pensaba a menudo, «y por más que lo intente no puedo escapar de mi destino». A veces, sin embargo, deseaba derramar un río de lágrimas por cada persona a la que asesinaba; pero hacía tiempo que había olvidado qué era eso de llorar.

Novan observaba todo esto y sonreía para sí. La bestia había vencido.

Sin embargo, una noche de plenilunio algo cambió para siempre el destino que Ankris creía inamovible.

El joven elfo merodeaba por el bosque bajo su forma lobuna; los otros miembros de su manada aullaban desde las montañas, avisándole de que habían encontrado un grupo de cabras despistadas, pero Ankris dudaba sobre si ir o no a su encuentro. Hacía rato que había perdido de vista a Novan y no sabía si ir a buscarlo, esperarlo allí mismo o acudir al llamamiento de los otros lobos.

Ya casi había optado por reunirse con el resto de la manada cuando apareció Novan. Arrastraba un pesado bulto tras de sí, y sus ojos brillaban de satisfacción. Soltó el bulto ante Ankris y le dijo:

—Mira lo que he traído para cenar. Está fresca. Respira todavía.

Ankris sonrió al descubrir que se trataba de una niña.

—¿De dónde la has sacado? —gruñó, encantado.

—Se había escapado de casa para ir a cazar grillos. Qué inocente, ¿eh?

Ankris iba a corear la carcajada de su amigo cuando vio el rostro de la niña y lo reconoció en la oscuridad. Era aquella misma niña que, hacía meses, lo había visto transformándose al amanecer, en la cueva.

—¿Qué te pasa? —inquirió Novan con mala cara—. No te habrán entrado escrúpulos otra vez, ¿verdad?

—Señor... —susurró entonces la niña.

Ankris miró hacia abajo y vio que ella lo miraba fijamente, implorándole, con los ojos llenos de lágrimas. También ella lo había reconocido.

—Señor... —repitió—. Ayudadme, por favor. Salvadme.

Novan le dio un zarpazo y la lanzó hacia atrás. La niña cayó sobre la hierba con un grito.

—¿A qué esperas? —gritó Novan—. ¡Acaba con ella!

La chiquilla sangraba por la sien, y el olor de la sangre volvía loca a la bestia. Pero el elfo no podía olvidar las palabras de la niña.

Le había llamado «señor».

Lo había tratado como a una persona, a él, que era un asesino, que estaba ahora transformado en lobo. «¿Qué ha visto en mí?», se dijo. «¿Cómo ha sabido que era yo?».

—¡Mátala! —chilló de nuevo Novan.

Ankris dudó. Tenía hambre porque no había comido todavía aquella noche. El lobo gruñía en su interior y trataba de tomar el control sobre su cuerpo para abalanzarse sobre su presa.

Pero la niña no le había hablado a la bestia, sino al ser racional que había visto agazapado en su mirada. Eso quería decir que el elfo todavía existía en el interior del lobo, en alguna parte, a pesar de que la luna llena brillaba en el cielo, a pesar de que la presa sangraba y el hambre acuciaba al depredador.

Y, si el elfo seguía allí... significaba que la bestia no lo había vencido todavía. Al comprender esto, por primera vez en mucho tiempo su parte racional trató de alzarse de nuevo y plantar cara al lobo.

Hubo un breve e intenso forcejeo y, durante unos angustiosos y eternos segundos, Ankris pensó que su destino estaba sellado. Con un suspiro, avanzó hacia la muchacha.

—¡Eso es! —susurró Novan.

Pero Ankris se colocó entre él y la niña, lo miró a los ojos y gruñó amenazadoramente.

—¿Qué significa esto?

—A esta niña, no —dijo Ankris—. Tendrás que acabar conmigo primero.

—Vaya, el cachorro se me ha vuelto melindroso —dijo el mago con una sonrisa peligrosa.

—Hay otras presas —repuso Ankris—. Deja marchar a esta.

Novan no dijo nada. Se plantó ante él de un salto y lo miró a los ojos. Su rostro lobuno estaba tan cerca del de Ankris que este pudo sentir su aliento en la cara.

—No se trata de eso, cachorro —susurró amenazadoramente—. No me seas impertinente. No te conviene desafiar al jefe de la manada.

—No lo he hecho —replicó Ankris, pero en aquel momento comprendió que sí, que se trataba de eso—. Me la has traído para mí. Yo decidiré lo que hago con ella.

—Eres un lobo hambriento y pretendes dejarla escapar. Eso te convierte en un mal cazador, y no me interesa tener a individuos como tú en mi manada. Nos ponen en peligro a todos. ¿Me he explicado bien? Así que apártate de ella, cachorro…, o lo lamentarás.

Los ojos de Novan mostraban un brillo torvo y amenazador, y Ankris supo que hablaba en serio. Una parte de sí dudó. ¿Qué más daba una niña más, después de todo lo que había hecho? ¿Iba a pelearse por ello con Novan, su mejor amigo? ¿Iba a arriesgarse a ser expulsado de la manada que era ahora todo lo que le quedaba?

La bestia estaba a punto de tomar el control de nuevo. Ankris vaciló. Volvió a mirar a Novan y se vio reflejado en sus ojos, un rostro de lobo de mirada asesina. Cerró los ojos e inspiró profundamente. Sabía, en el fondo, que estaba haciendo algo que no quería hacer. Y algo en su interior le dijo que, si no plantaba cara en aquel momento, la oportunidad nunca volvería a presentarse. Sentía el cuerpo de la niña tras él, inerte pero todavía cálido, y luchó con todas sus fuerzas contra el instinto de la bestia. Alzó la cabeza y se irguió con orgullo.

—No, Novan. Serás el jefe de la manada, pero todavía tengo poder para tomar mis propias decisiones.

Novan gruñó, enseñando los dientes.

—Pequeño ingrato… —dijo.

Ankris se puso en guardia. Los dos lobos se movieron en círculo, con lentitud, vigilándose mutuamente. Novan gruñó de nuevo. Ankris gruñó también.

Y se lanzaron el uno contra el otro con furia asesina. Ankris había peleado contra otros lobos, pero no solía ser en serio y, además, como era mucho más grande que cualquier lobo normal, nunca se había topado con un rival a su altura.

Novan era distinto. Era un lobo maduro, sí, y no poseía el vigor de Ankris, pero era más astuto y tenía más experiencia. Y, por otro lado, si Ankris había pensado en algún momento que aquello era un juego, Novan lo sacó en seguida de su error.

El hombre-lobo luchaba en serio, estaba tratando de matarlo. Cuando Ankris comprendió esto, ya no tuvo tiempo de preguntarse nuevamente si valía la pena arriesgar la vida por una niña humana. Mordió y desgarró, saltó, se movió a un lado y a otro, pero Novan siempre parecía saber de antemano qué haría a continuación; al cabo de un rato, Ankris había logrado lanzarle algunas dentelladas, pero parecía claro que era Novan quien había ganado el combate.

Saltó sobre él y lo tumbó en el suelo. Ankris, herido, dejó escapar un gañido. Novan apoyó sus patas delanteras sobre él, impidiendo que se moviera.

—Has perdido, cachorro —gruñó—. Jamás deberías haber desafiado a tu padre.

—Tú no eres mi padre —jadeó Ankris.

Novan sonrió, enseñando todos los dientes.

—Soy más padre tuyo que ese elfo estirado que te dio esa daga que algún día te matará, muchacho. ¿No me crees? Te voy a contar un secreto: hace casi ciento veinte años traté de entrar en el Reino de los Elfos, sí, cachorro, en la tierra de donde tú procedes. Una pareja de elfos muy impertinentes me impidieron el paso y me clavaron un cuchillo de plata cuya marca todavía llevo en la espalda, pero antes logré morder a la hembra... Quién iba a imaginar que esperaba un hijo. No lo supe hasta que el destino te trajo hasta mi puerta.

XI

MUERTE Y RENACIMIENTO

Novan se rió, mientras Ankris le escuchaba horrorizado.

—¿Lo ves, muchacho? Todo lo que eres me lo debes a mí. Ellos me marcaron para siempre, pero yo les arrebaté a su hijo.

—Mientes —balbuceó Ankris—. El lobo que mordió a mi madre tenía una oreja partida.

Los ojos de Novan brillaron de nuevo.

—¿Eso? Sí, me la arrancó de un mordisco un lobo que me disputó el liderato de una manada y al que maté ese mismo día. Pero hace mucho tiempo que logré hacerla crecer de nuevo.

—Mientes —repitió Ankris; pero sabía que era verdad, y Novan lo leyó en su mirada.

Con una sonrisa de satisfacción, el mago se inclinó sobre él para decirle al oído:

—Eres uno de los nuestros. Mucho antes de nacer ya eras como yo.

Ankris cerró los ojos mientras la verdad penetraba en todo su ser, revelándose dolorosamente. Su amigo el brujo le había contado años atrás lo sucedido la noche en que un licántropo mordió a su madre; la propia Eilai le había dado más detalles tiempo después: el lobo negro, la pelea, la daga de plata... Se maldijo a sí mismo por no haber atado cabos antes. Siempre había pensado que aquel hombre-lobo debía de haber muerto mucho tiempo atrás, pero el mismo Novan le había revelado que él, como mago, había vivido mucho más que cualquier ser humano normal.

Novan, el mago, el hombre-lobo que le había salvado la vida y que le había enseñado a disfrutar de su lado salvaje.

Novan, el hombre-lobo que lo había convertido a él en un asesino.

Como en un fogonazo, su vida acudió a su mente en una serie de imágenes encadenadas. Recordó el rostro de horror de su padre al verle bajo la luna llena; las palabras de Shi-Mae en el juicio; la cueva donde la bestia había ocultado los cuerpos de sus víctimas; aquella huida de pesadilla bajo la lluvia, con el Cazador pisándole los talones...

Ahora, Ankris temblaba de ira.

—¿Te enorgulleces de lo que hiciste? —siseó—. Has destrozado mi vida, hijo de mala madre.

Trató de levantarse, pero Novan se lo impidió.

—No te metas con mi madre —le advirtió.

Ciego de rabia, Ankris se revolvió para quitárselo de encima. Quizá Novan no esperaba esa reacción o tal vez lo había subestimado, pero el caso es que Ankris logró levantarse y volverse contra él. Los dos se enzarzaron de nuevo en una pelea. Pero en esta ocasión, empujado por el odio, Ankris no tenía dudas: quería acabar con él de una vez por todas. Y por fin logró cerrar sus dientes sobre el cuello peludo de Novan, que rugió y se debatió, tratando de escapar. Tras una breve lucha, el hombre-lobo consiguió desasirse y retrocedió, jadeando.

Los dos se miraron. Los ojos de Novan mostraban el brillo helado de la muerte.

—Has ido demasiado lejos, elfo —le dijo el mago, muy serio—. Ya no me caes bien. Tenlo muy en cuenta, porque no tardaré en matarte.

Retrocedió. Ankris gruñó y dio un par de pasos hacia él.

—Ahora no —dijo Novan—. Nos veremos al amanecer.

Dio media vuelta y, de un salto, se perdió entre los arbustos.

Ankris quiso seguirlo, pero se detuvo en seco cuando algo extraño empezó a suceder en su interior. Una especie de furia asesina invadió su ser, devorando su conciencia racional mientras la bestia volvía a tomar el control. Horrorizado, Ankris reconoció aquella sensación: era la que experimentaba al transformarse en lobo, cuando su parte de elfo empezaba a caer en un pozo sin fondo hasta sumirse en la oscuridad. Así había sido siempre hasta que Novan le había aplicado aquel conjuro que despertaba su mente racional las noches de luna llena, igualándola a la de la bestia. El hecho de que se sintiese caer nuevamente en aquel abismo de oscuridad solo quería decir una cosa: que Novan había retirado el hechizo.

—No —jadeó Ankris, tratando desesperadamente de mantenerse consciente.

Pero caía y caía, y con sus últimos pensamientos miró a su alrededor en busca de la niña. Por fortuna, ella había huido hacía rato, aprovechando la pelea entre los dos grandes lobos que la habían secuestrado. Su último momento consciente lo dedicó a rogar para sus adentros que corriese lo suficientemente deprisa como para que la bestia no lograse alcanzarla.

Cuando despertó, descubrió que no tenía sangre entre las uñas y suspiró, aliviado. Seguramente el amanecer lo había sorprendido antes de que lograse matar de nuevo.

Cojeando, se dirigió a la cabaña. La pelea lo había dejado agotado, pero en el fondo sabía perfectamente que aquello no había hecho más que empezar.

Novan había pospuesto el enfrentamiento hasta el día siguiente para contar con ventaja. Sabía muy bien que él podría luchar como lobo casi invulnerable, mientras que Ankris debería esperar a la siguiente luna llena para poder transformarse. Y entonces ni siquiera conservaría el control de sus actos, dado que Novan ya no iba a ayudarlo con su magia.

No obstante, Ankris no pensaba darse por vencido. No había olvidado lo que el mago le había revelado la noche anterior, y aún hervía de ira. Por una vez en su vida, deseaba de verdad matar a alguien.

A Novan.

No había nadie en la cabaña, de modo que Ankris decidió esperarlo allí mismo. Aseguró todas las ventanas con tablas, dejando solo la puerta como vía de entrada. Preparó flechas, aunque sabía que, si Novan se presentaba bajo su forma lobuna, no podrían hacerle daño. Pero también guardó en su carcaj la flecha del Cazador, la de la punta de plata, y se prendió su propia daga al cinto.

Después, se sentó en la puerta a esperar. Novan no podía sorprenderlo por detrás; no tendría más opción que acudir por la parte frontal, y la aguda vista del elfo lo descubriría cuando aún estuviera lejos. Afortunadamente, ante la puerta de la cabaña se extendía una pequeña pradera, y el bosque comenzaba más atrás.

Ankris no se movió de allí en todo el día, pero Novan no apareció. Al caer la tarde, Ankris comprendió que atacaría de noche. Los licántropos veían en la oscuridad igual que los elfos, por lo que esto no suponía ninguna ventaja para Ankris. Redobló su atención, tenso, escudriñando las sombras.

Novan llegó cuando la luna brillaba en lo alto del cielo.

Y, a pesar de todas sus precauciones, el mago sorprendió a Ankris atacándolo por la espalda. Por suerte, el fino oído del elfo captó el movimiento tras él y logró volverse a tiempo de ver cómo el enorme lobo saltaba sobre él desde el interior de la cabaña a oscuras.

Ankris disparó una flecha precipitadamente, pero no le acertó en el corazón. Novan cayó sobre él y ambos rodaron por el suelo. Mientras palpaba su cinto frenéticamente en busca del puñal de plata, Ankris se maldijo a sí mismo por no haber caído en la cuenta de que Novan, como mago, podía perfectamente teletransportarse al interior de la cabaña y transformarse allí. Aquel error había estado a punto de costarle la vida.

El elfo sacó por fin el puñal y lo hundió sin piedad en la espalda del lobo, cuyo cuerpo sufrió un espasmo de dolor. Sin embargo, Novan cerró sus dientes en torno al brazo de Ankris. El elfo gimió, pero no soltó el puñal. Tampoco el lobo aflojó su presa; al contrario: hundió los dientes aún más en la carne de Ankris, que jadeó de dolor. Volvió la cabeza para mirar a Novan y vio en sus ojos que la plata alojada en su cuerpo le estaba causando un terrible daño; pero descubrió también un salvaje brillo de desafío en su mirada, y supo que, por mucho dolor que sintiese, sus dientes seguirían aferrando el brazo de Ankris hasta arrancárselo.

Podían estar así hasta morir los dos, pero a Ankris eso no le bastaba. Con un rugido de rabia, arrancó el puñal del lomo de Novan y, apartándolo de un empujón —el lobo no aflojó su presa, y Ankris sintió que iba a desmayarse de dolor—, logró dejar su vientre al descubierto. No lo pensó: clavó la daga en el costado del hombre-lobo.

Novan aulló de dolor y soltó el brazo de Ankris. Los dos se separaron y se miraron, jadeantes y llenos de odio. Novan gruñó. Ankris gruñó también, enseñando los dientes e inclinándose hacia adelante en actitud agresiva. Aún jadeando de dolor, Novan caminó con cautela hacia un lado sin dejar de mirar fijamente a su contrario. Ankris lo siguió con la mirada.

Novan saltó hacia él. Ankris alzó el puñal en alto. Los dos chocaron de nuevo.

El elfo logró herirle varias veces más, pero el hombre-
lobo era sin duda más fuerte, y pronto la lucha se inclinó a
su favor. Gravemente herido, sabiendo que solo tenía una
oportunidad, Ankris sujetó la daga con fuerza. Novan lo
tiró al suelo y bajó la cabeza para hincar los dientes en su
cuello.

Y, entonces, Ankris le clavó el puñal en la nuca. Y allí lo
dejó.

Herido de muerte, Novan aulló de dolor. Ankris aprovechó para quitárselo de encima, maldiciendo entre dientes. Aquel golpe debería haberle producido una muerte
instantánea, pero no lo había hecho, lo cual quería decir
que el puñal no se había clavado exactamente en un punto
vital. Sin embargo, era evidente que la plata alojada en
el cuerpo de Novan lo estaba matando rápidamente. La
aguda vista del elfo podía distinguir que la herida humea-
ba en la oscuridad, como si el peludo lomo del lobo hubiese sido quemado con ácido.

Privado de su daga, Ankris se apresuró a cargar su arco
con la flecha de punta de plata.

Entonces, sonriendo, Novan se transformó de nuevo
en mago y se quitó el puñal de plata de la espalda como si
nada hubiera sucedido.

—Has fallado —dijo solamente.

Ankris tensó la cuerda del arco, reprimiendo una
mueca de dolor. La herida de la mordedura de Novan en
su brazo izquierdo quemaba como el fuego.

—A esta distancia ya no puedo fallar.

—Entonces, ¿por qué no disparas?

Ankris titubeó. Solo tenía una flecha de punta de plata, y ahora Novan ya no era un lobo. Además, acababa de descubrir que el cuerpo de Novan despedía un levísimo resplandor rojizo. Lo reconoció: era un conjuro de protección que levantaba un escudo mágico en torno al cuerpo del hechicero, un escudo que lo protegía de los ataques físicos. Mientras Ankris se preguntaba desesperadamente cómo enfrentarse a un enemigo tan formidable, Novan pronunció las palabras de un hechizo.

Ankris lo vio venir. Dio un salto hacia un lado y la bola de fuego lanzada por el mago se estrelló contra la fila de árboles más cercana, carbonizándola por completo. Ankris cayó sobre el brazo herido y gimió de dolor. La sombra de Novan se cernió sobre él, amenazadora y triunfante.

—¿Lo ves, cachorro? No puedes nada contra mí.

—Si eres tan poderoso como mago —jadeó él—, ¿por qué me has atacado como lobo?

Novan sonrió otra vez.

—Porque, a diferencia de ti —dijo, mientras se transformaba de nuevo—, a mí me gusta ser un lobo.

Otra vez metamorfoseado en bestia, Novan se lanzó sobre él. Ankris aguardó. Cuando las poderosas patas de Novan lo echaron al suelo, el elfo sacó la mano de detrás de la espalda y blandió la flecha con la punta de plata.

Y se la clavó a Novan en el pecho.

El hombre-lobo aulló y retrocedió, los ojos llenos de odio y dolor.

—Pero como lobo tienes un punto débil —dijo Ankris, con una torva sonrisa—. Ahora no te atreverás a transformarte en hombre de nuevo: la punta de la flecha está demasiado cerca del corazón y tu cuerpo humano no resistiría la herida. Bajo tu forma lobuna podrías aguantar la flecha clavada en tu cuerpo... si no tuviera la punta de plata. De una forma o de otra vas a morir, Novan.

El lobo gruñó y trató de arrancarse la flecha a dentelladas. Era evidente que estaba sufriendo mucho. Loco de dolor y de odio, Novan se volvió finalmente hacia Ankris.

—Sea, elfo —dijo—. Pero te llevaré al infierno conmigo.

Ankris no tuvo tiempo de reaccionar. Novan saltó sobre él y lo tiró al suelo mientras trataba, nuevamente, de hundir sus dientes en su cuello. El elfo volvió la cabeza y la mandíbula de Novan se cerró sobre su hombro. Ankris gritó.

Los ojos de Novan mostraban un brillo demente. El hombre-lobo iba a morir, sí, pero moriría matando.

Ankris trató de librarse de él. De pronto, su mano rozó algo que había caído sobre la hierba. Algo frío y afilado. La daga de plata de su padre.

Ankris sonrió.

—Espérame en el infierno, mago —susurró, y hundió el filo del puñal en el cuerpo del hombre-lobo.

Novan lanzó un aullido que sonó como un chillido. Ankris lo apartó de sí de un empujón y se alejó un poco, arrastrándose como pudo por el suelo, mientras Novan trataba de levantarse.

No lo logró.

Los ojos del hombre-lobo buscaron la mirada ambarina del elfo.

—Ca...chorro —susurró solamente.

Y la vida desapareció de su semblante.

Temblando, Ankris se quedó mirándolo un momento,
sintiendo en su interior una confusa mezcla de sentimientos: odio, alivio, misericordia, rencor, paz, miedo y
una honda tristeza.

Después, lentamente, se acercó al cuerpo de Novan para
recuperar su daga. La muerte le había devuelto su forma
humana y parecía ahora un frágil e inofensivo hombrecillo. Ankris alargó la mano hacia la daga, pero lo pensó mejor y la retiró.

—Quizá no pensabas que iba a utilizar la daga para esto,
padre —murmuró—, pero ahora ya sé que esta es la autén-
tica razón por la cual fue a parar a mis manos.

Calló, confuso. Ni él mismo comprendía del todo aquel
extraño pensamiento. Pero, por algún motivo, sentía que
aquella daga que había pertenecido a sus antepasados ya
había cumplido su misión, y debía, por tanto, ser ente-
rrada junto al cuerpo del hombre-lobo que estaba destinada a matar.

Ahora odiaba aquella cabaña, pero estaba gravemente
herido y necesitaba reponer fuerzas, de modo que se
quedó allí durante unos días. Tenía intención de meditar
sobre su futuro y el rumbo que seguirían sus pasos ahora

que no tenía a donde ir, pero su mente persistía en mantenerse en blanco. Así, pasaba las horas tumbado en el jergón, mirando el cielo a través de la ventana, sin pensar en nada.

Al cabo de un tiempo se sintió mejor y pudo levantarse e ir a cazar por las mañanas. Por las noches, salía a pasear por el bosque y a meditar sobre lo que haría a continuación. La cabaña de Novan ya no era segura. Tras la muerte del mago, se había desvanecido el hechizo que protegía la casa de las miradas extrañas y ahora cualquiera podría encontrarla. Pero, si se marchaba, ¿adónde podía ir? Una idea empezó a germinar en su mente, y cuantas más vueltas le daba, más le parecía que aquella era la única solución.

Una noche, durante uno de sus paseos, sintió que alguien le seguía y prestó atención. Fuera quien fuese la persona que iba tras él, era, desde luego, muy silencioso y, por un momento, Ankris se preguntó si no sería un elfo. Se ocultó entre la maleza y esperó, conteniendo el aliento y con su arco preparado. Echó de menos el puñal que había enterrado con Novan y se propuso conseguir uno en cuanto le fuera posible, un puñal de verdad, no una joya de plata. En cualquier caso, sus ojos veían perfectamente en la oscuridad y su manejo del arco seguía siendo excelente.

Esperó, pero la persona que seguía sus pasos no apareció. Intrigado, Ankris estaba empezando a preguntarse si no lo habría imaginado, cuando alguien saltó hacia él desde la oscuridad y lo arrojó al suelo. Los dos rodaron por tierra, mientras el elfo, jadeando, trataba de librarse de su atacante. Una mano atenazó su garganta, amenazando con estrangularle, mientras la otra se alzaba sobre él sosteniendo algo afilado con la seguridad y la precisión de un profesional. La hoja de un puñal brilló bajo la luz de la luna.

El Cazador lo había encontrado. Y, esta vez, Novan no iba a aparecer de la nada para salvarlo en el último momento.

Por fortuna, aunque el Cazador era mucho más fuerte que Ankris, este, como elfo, era más rápido y tenía mejores reflejos. Vislumbró la ballesta colgada del costado del Cazador y alargó la mano hacia ella; casi en el mismo momento en que el mercenario iba a descargar el puñal sobre el corazón del elfo, Ankris le plantó la ballesta en el pecho.

—Suéltame —jadeó, a duras penas— o disparo.

Los ojos de piedra del Cazador relampaguearon un breve instante. Retiró la mano del cuello del elfo, pero no la hoja del puñal, que seguía rozando su pecho.

—Parece que estamos en un callejón sin salida —dijo el Cazador.

—Eso parece. ¿Quién te ha contratado?

—Eso no es asunto tuyo.

—Quiero saber el nombre de la persona que me quiere muerto.

—Dada tu condición de bestia, yo diría que todo el mundo.

Ankris respiró hondo, pero no respondió.

—Poco importa su nombre, elfo —prosiguió el Cazador—, porque vas a morir de todas formas. Ninguna presa se me ha escapado jamás.

—Inténtalo y dispararé —gruñó Ankris—. A esta distancia no puedo fallar.

—Tampoco yo —sonrió el Cazador.

Rápido como el pensamiento, se echó a un lado y descargó el puñal sobre Ankris; pero este reaccionó a tiempo y logró esquivarlo y apretar el gatillo de la ballesta al mismo tiempo. La flecha fue a dar en el hombro del Cazador, que retrocedió y se la arrancó de su cuerpo sin una sola queja. Pero cuando fue a lanzarse sobre el elfo, descubrió que este, con sorprendente rapidez, había recuperado su arco y ya tenía una flecha preparada y apuntando a su corazón.

—No quieres matarme, elfo. De lo contrario, ya habrías disparado esa flecha.

—No me provoques —gruñó Ankris—, porque, si insistes en irritarme, podría recordar con más detalle cómo me perseguiste como a un perro por el bosque y me atacaste sin mediar palabra. Y no es un recuerdo agradable, créeme.

—¿Qué vas a hacer conmigo?

—Arrodíllate.

—¿Qué? ¿Ante ti? Jamás.

—Lanza ese puñal lejos de ti y arrodíllate en el suelo, con las manos detrás de la cabeza.

Los ojos del Cazador relampaguearon, pero finalmente obedeció. Ankris avanzó hacia él, todavía con el arco tenso, y lo rodeó hasta colocarse a su espalda.

—¿Qué se siente cuando dejas de ser un depredador y te conviertes en una presa? —dijo el elfo suavemente.

—No sé a qué juegas, elfo. Sé que no vas a matarme.

—Oh, ¿de verdad? ¿Estás seguro de que sabes cómo funciona la mente de un elfo?

—¿Qué es lo que quieres?

—Jura que no volverás a perseguirme.

—Jamás incumplo un contrato.

—¿Y si yo te contratara a ti para matar a la persona que te ordenó que me mataras?

—¿Por quién me tomas? Eso no cambia el hecho de que haya un contrato anterior. He de acabar contigo de todas formas.

—Por si no lo habías notado, tienes una flecha apuntando a tu cabeza.

—Adelante, mátame. No voy a humillarme más.

Ankris entrecerró los ojos.

—Tú lo has querido —dijo.

Pero no disparó, sino que golpeó la cabeza del Cazador con una piedra. Cuando el hombre se desplomó en el suelo, inconsciente, Ankris respiró hondo y se acercó a su bolsa para registrarla. Extrajo de ella un pergamino enrollado. Lo abrió, pero no lo leyó.

No le hizo falta. Un breve vistazo al membrete le había dicho lo que necesitaba saber.

El escudo de la Casa Ducal del Río encabezaba el documento.

Nuevamente, Shi-Mae.

Quiso romper el pergamino en pedazos, pero no tuvo fuerzas. Tampoco quiso llevárselo consigo. Lo volvió a guardar en el macuto del Cazador.

Sabiendo que no tenía mucho tiempo, rebuscó entre las pertenencias de su enemigo y se quedó con su daga, con su ballesta y con todas sus flechas, excepto las de punta de plata. Ya había visto —y sufrido— suficiente plata para el resto de su vida.

Después, ató de pies y manos al Cazador y se dio la vuelta para marcharse.

Vaciló un momento. La sensatez le decía que debía matarlo. Pero estaba cansado de que su vida estuviera teñida de sangre y de muertes sin sentido. No deseaba matar a nadie más, ni siquiera al hombre que lo había perseguido tan implacablemente. Y, además, quizá no se atreviera a seguirlo hasta el lugar adonde pensaba ir.

Por otro lado, tal vez el Cazador tuviera la oportunidad de librar al mundo de otros seres como Novan.

Este argumento terminó de convencerlo. Y, así, Ankris abandonó al Cazador, maniatado, en medio del bosque y se preparó para reemprender su viaje.

En un principio había pensado descansar unos cuantos días más antes de continuar la marcha, pero la llegada del Cazador le había hecho cambiar de idea: debía partir inmediatamente. No dudaba que el Cazador lo seguiría, pero en esta ocasión Ankris podía sacarle varios días de ventaja. Por otro lado, el elfo sabía muy bien cómo avanzar sin dejar rastro tras de sí. Si el Cazador lo había encontrado la primera vez, era porque Ankris no sabía que lo estaba siguiendo y, por tanto, no se había preocupado por borrar sus huellas.

Además, estaba el hecho de que pocos hombres serían capaces de seguirlo hasta el lugar adonde pensaba dirigirse.

No tardó mucho en prepararse. Cogió algunas cosas útiles de la cabaña de Novan y emprendió la marcha al ponerse el sol.

Mientras se alejaba en la semioscuridad, dejando atrás la cabaña que había compartido con el mago, Ankris sintió que algo en su interior moría con él. La muerte de Novan lo había transformado por dentro y le había hecho replantearse muchas cosas, pero también lo había afectado profundamente ver con sus propios ojos el contrato del Cazador, que era el símbolo del rechazo de su propia gente y del odio de la joven a la que había amado.

Sin embargo se dio cuenta, no sin sorpresa, de que no había sentido dolor al ver el escudo de Shi-Mae en aquel pergamino. Solo se había sentido terriblemente cansado, deseoso de olvidar todo aquello y comenzar una nueva vida en cualquier otro lugar, sin mirar atrás. Y recordó lo que le había dicho Novan: «Mientras no seas capaz de mirar al pasado sin dolor, nunca te forjarás una nueva identidad y un destino diferente».

¿Había llegado el momento? Mientras caminaba en dirección al norte, hacia su destierro definitivo, Ankris se dijo a sí mismo que sí. Ya no añoraba a Shi-Mae, ya no sentía aquella angustia en el corazón al pensar en ella. Habían pasado demasiadas cosas desde entonces, y él ya no era el muchacho asustado que había abandonado el Reino de los Elfos, confiando, en el fondo, en poder regresar algún día.

Ahora había visto las pasiones humanas, había experimentado el miedo a la muerte, había perdido su última esperanza, había explorado su lado salvaje y había matado a lo más parecido a un amigo que había tenido jamás. Ya nada volvería a ser igual.

Y ahora sabía que el Cazador tenía razón: jamás volvería a caminar entre los elfos.

Y supo también que el joven Ankris, el muchacho que había amado a Shi-Mae, había muerto para siempre.

Durante varios meses se encaminó hacia el norte. Se transformó las noches de luna llena, pero eso ya no le importaba, puesto que había asumido que no podía hacer nada contra ello. Sin embargo, conforme el clima se iba haciendo más duro y la tierra más árida, el elfo se sentía cada vez más reconfortado. No tardaría en llegar a las Tierras Muertas, un lugar salvaje e inexplorado donde la civilización no había llegado todavía, un lugar donde solo algunos animales habituados al frío extremo lograban sobrevivir. Allí pensaba pasar el resto de su vida, como elfo o como lobo, pero sin volver a asesinar a nadie.

No había vuelto a tener noticias del Cazador. Era de suponer que no había logrado seguirle el rastro.

Por fin, cuando cruzó la cordillera que separaba las tierras habitadas del páramo helado en el que planeaba vivir, se sintió libre por primera vez en mucho tiempo. Cierto era que aquel paisaje no se parecía en nada al bello y exuberante bosque en el que se había criado, pero eso no le importaba. La soledad y aridez de las Tierras Muertas encajaba a la perfección con su estado de ánimo.

Fue muy duro sobrevivir los primeros días. Había llevado ropa de abrigo, pero eso no bastaba para proteger su cuerpo del terrible frío. Además, las pocas bestias que vivían en las Tierras Muertas tenían el pelaje blanco, lo cual hacía difícil distinguirlas entre la nieve a la hora de cazar, incluso para la vigilante mirada de un elfo.

Por las noches dormía en una cueva al pie de la montaña. La primera noche de luna llena mató a un gran oso blanco y, por fortuna, al despertar como elfo a la mañana siguiente, descubrió que los restos aún seguían allí. Se hizo una capa con la piel del animal y aún le sobró para poder cubrir parte del suelo de la cueva y hacerla más habitable.

Poco a poco fue aprendiendo a sobrevivir allí. Al principio no comía mucho, pero las noches de luna llena la bestia, hambrienta, nunca dejaba de cazar alguna cosa, y el elfo terminó por poder cazar también.

Ya se había acostumbrado a su nueva y austera vida cuando una noche de plenilunio sucedió algo.

La bestia rondaba por la zona oeste de las montañas cuando le llegó un olor conocido.

Un humano.

Con un gruñido de alegría, la bestia siguió el olor hasta una figura cubierta de pieles que caminaba sobre la nieve. Era una muchacha, una muchacha humana, y, a pesar de que pendían de su cinto un cuchillo y una honda, la bestia no se sintió en absoluto intimidada: ninguno de los dos objetos olía a plata, y la chica era muy joven todavía.

De modo que el lobo corrió hacia ella, gruñendo, convencido de haber encontrado una presa fácil. La muchacha se volvió y lo vio, y lanzó un grito... de advertencia, no de miedo. La bestia debería haberse percatado de que aquella no era una joven corriente, pero olía demasiado bien y él tenía demasiada hambre.

Algo silbó en el aire y una enorme piedra golpeó la cabeza del lobo; este se detuvo un momento, aturdido, pero en seguida volvió a la carga. Enseñando todos los dientes, con los ojos alentados por una llama asesina, la bestia saltó sobre la muchacha, cayó sobre ella y la arrojó al suelo...

Y, de pronto, el lobo comenzó a transformarse rápidamente y, a pesar de que la luna llena seguía brillando en el cielo, el elfo despertó.

Se descubrió a sí mismo temblando de frío, metamorfoseado de nuevo en elfo, tendido sobre una muchacha humana que lo miraba con una mezcla de curiosidad, temor y fascinación en sus ojos oscuros. El elfo quiso decir algo, pero, de pronto, ella lo golpeó en la cabeza con una piedra, sin contemplaciones, y todo se puso negro.

Cuando despertó, yacía sobre el suelo de una enorme cueva. Miró a su alrededor, confuso, y vio a la muchacha no lejos de él. Llevaba una antorcha encendida en la mano y examinaba algo que había en la pared.

Muchas preguntas acudieron a la mente del elfo, pero no fue capaz de responder a ninguna de ellas. Aquella chica le había devuelto su forma élfica... ¿O tal vez lo había soñado? ¿Cómo había llegado hasta aquella cueva? ¿Había sido ella quien había cargado con él durante todo el camino?

—¿Quién eres? —le preguntó.

La muchacha se volvió hacia él y lo estudió con interés. No parecía haber entendido la pregunta. También él la miró. Vestía su cuerpo con pieles, llevaba el enmarañado cabello oscuro recogido detrás de la cabeza y tenía la frente y las mejillas adornadas con pinturas tribales.

—¿Cómo te llamas? —insistió el elfo.

Tampoco esta vez respondió ella. Sin embargo, empezó a hablar en un idioma que él no conocía.

—Espera, no te entiendo —la detuvo el elfo—. ¿Quién... eres... tú? —preguntó muy lentamente, mirándola a los ojos y señalándola directamente con el dedo.

La chica pareció comprender. Sonrió y se señaló a sí misma.

—Ronna —dijo.

—Ronna —repitió el elfo.

Ella sonrió otra vez. Entonces lo señaló a él y dijo:

—Fenris.

—¿Fen...ris? ¿Qué es eso?

—Fenris —insistió Ronna.

—No, escucha, yo... no me llamo así.

La joven lo cogió de la mano y tiró de él hasta ponerlo en pie. Entonces lo guió hasta la pared que había estado estudiando. El elfo la siguió, intrigado, y vio en ese momento qué era lo que le había llamado tanto la atención. La pared de la gruta estaba cubierta de pinturas murales que mostraban pequeñas figuras antropomórficas en diversas escenas de caza.

—Fenris —insistió ella, señalando la parte superior del dibujo.

Y el elfo comprendió.

Sobre las figuras humanas, vigilándolas o protegiéndolas, o tal vez las dos cosas, la mano anónima que había pintado aquel mural había trazado también la forma de un enorme lobo.

—Fenris —repitió Ronna, señalando el lobo pintado; colocó entonces el dedo sobre el pecho del elfo—. Fenris —dijo nuevamente, sonriendo.

XII

LA TRIBU DEL LOBO

Caminaron durante un par de días más, siempre hacia el este. Al caer la tarde del segundo día los sorprendió una tormenta de nieve, pero a Ronna no pareció molestarla. La humana era pequeña y no muy alta, pero su cuerpo fibroso y sus piernas musculosas indicaban que se trataba de una muchacha fuerte y resistente, acostumbrada a caminar sobre la nieve, a correr para cazar y a vivir en condiciones extremas.

Al elfo le costó bastante mantener su ritmo. Podría haberse negado a acompañarla, pero sentía curiosidad por saber hacia dónde lo guiaba y, sobre todo, quería averiguar de qué modo había logrado ella devolverle su forma élfica la noche en que la había atacado.

Cuando tenía las manos y los pies tan helados que pensó que no podría seguir caminando, su penetrante mirada percibió a lo lejos, tras la cortina de nieve, unas formas achaparradas que parecían medias naranjas que creciesen de la tierra. Tuvieron que acercarse todavía un poco más para que pudiera reconocerlas: se trataba de curiosas viviendas semiesféricas cubiertas de pieles.

Habían llegado a una aldea.

Multitud de preguntas cruzaron por su mente. Tenía entendido que ningún ser humano habitaba en las Tierras Muertas y, sin embargo, allí había una población entera; a juzgar por el número de tiendas, no era muy grande, compuesta tal vez por una docena de familias, pero se trataba de una población, al fin y al cabo. Ronna lanzó un potente grito gutural, utilizando las manos a modo de bocina, y en seguidaen seguida varias personas salieron de las cabañas y acudieron a su encuentro. Tiritando de frío, el elfo los miró. Todos ellos eran bajos, robustos y de cabellos oscuros, como Ronna; también se habían pintado el rostro con motivos tribales muy semejantes a los que lucía la muchacha; variaban en algunos casos, por lo que el elfo dedujo que aquellas pinturas tenían algún tipo de significado, quizá como indicativo del rango o función de cada uno dentro del grupo. Vestían también con pieles blancas, de osos en su mayoría, y portaban lanzas, arcos y hondas.

Ronna habló con ellos, señalando al elfo y pronunciando el nombre de Fenris. Los hombres y mujeres del grupo se miraron unos a otros, sorprendidos, y murmuraron entre ellos. Entonces Ronna echó a andar hacia el poblado e hizo una seña a su compañero para que la siguiera. Los otros fueron tras ellos.

Inseguro, el elfo comprobó que lo miraban de reojo y mantenían la distancia. Sin embargo, no parecían tenerle miedo. Más bien se trataba de un extraño respeto reverencial.

Lo condujeron hasta una choza que estaba algo apartada de las demás. Ronna penetró en ella, pero antes indicó por señas al elfo que entrara tras ella. Tuvo que agacharse porque era demasiado alto para la puerta y, al hacerlo, advirtió que en torno a la entrada de la vivienda había pintados unos extraños símbolos, más complejos que los adornos que lucían aquellas personas sobre su piel.

El interior de la choza estaba iluminado por el cálido resplandor rojizo de un brasero colocado en el centro. El techo, de forma semiesférica, era más alto allí que en los lados. Las paredes se hallaban cubiertas por pieles blancas que, además de aislar la estancia del frío del exterior, estaban pintadas con imágenes de lobos. El elfo se había colocado cerca del brasero, porque tenía frío y porque aquel era el único lugar donde su cabeza no rozaba el bajo techo de la vivienda. Pero al ver las pieles pintadas se acercó a ellas, agachando la cabeza, para examinarlas. Una de ellas mostraba a un grupo de hombres y de lobos rodeando a otro lobo mucho más grande que el resto. Parecía como si se inclinasen ante él.

—Fenris —dijo de repente la voz de Ronna junto a él, con respeto y veneración.

Se sobresaltó. Miró a la muchacha y se dio cuenta de que ella señalaba al gran lobo de la imagen.

Y entonces comprendió.

Aquel lobo al que llamaban Fenris debía de ser una especie de dios para ellos. Ello explicaría que Ronna no le tuviese miedo, a pesar de que lo había visto transformado en lobo días antes. El elfo había oído decir que algunas tribus humanas primitivas adoraban a algún tipo de animal y lo consideraban su padre y protector. Las pinturas de la choza y lo que había visto en la cueva parecían corroborarlo: aquella gente se consideraba emparentada de alguna manera con los lobos.

«¿Me han confundido a mí con su dios?», se preguntó. Si se trataba de eso, desde luego debía sacarlos de su error. Actuar como un dios a la larga solo podía traerle problemas.

Se volvió hacia Ronna para tratar de hacérselo comprender, y entonces vio que se había acercado a ellos un hombre joven cuyo aspecto pequeño y frágil le hacía parecer mayor de lo que era. Su manto estaba adornado con los mismos símbolos que había visto dibujados en torno a la entrada de la vivienda, y cubría su cabeza con un tocado de plumas.

El elfo retrocedió un paso. Aquel hombre tenía todo el aspecto de ser un mago o un brujo —algunos humanos no veían ninguna diferencia entre unos y otros—, y él, tras su experiencia con Novan y Shi-Mae, había aprendido a no confiar en los hechiceros. La mano de Ronna se posó tranquilizadoramente sobre su brazo. Esto lo desconcertó. Si lo creían una especie de dios, ¿por qué lo trataba la chica con tantas confianzas?

—Log —dijo, señalando al hombre del tocado de plumas.

—Log —repitió el elfo, inseguro.

El brujo, o lo que fuera, se señaló a sí mismo, asintiendo. Después se acercó al elfo sin preocuparse lo más mínimo por la mirada recelosa que este le dirigió. Clavó en él sus ojos oscuros y murmuró unas palabras en su propio idioma. Alzó la mano y la acercó a su frente. El elfo quiso retroceder, pero se sintió paralizado por su mirada. Los dedos de Log rozaron su frente y despertaron en su interior algo salvaje que había permanecido dormido desde la última luna llena. Sintió a la bestia rugir en su interior y lanzó un grito de alarma; pero, cuando el lobo trataba de tomar el control sobre su cuerpo e iniciar la transformación, el hombre retiró la mano, y la bestia volvió a ocultarse en el más oscuro rincón de su ser.

Temblando, el elfo se apoyó contra la pared y cerró los ojos, agotado y sudoroso. Cuando los volvió a abrir de nuevo, Ronna y Log lo miraban fijamente.

—Fenris —dijo Log simplemente.

El elfo, debilitado tras el duro viaje y la lucha interna que acababa de librar, sintió que se le nublaban los ojos y cayó desvanecido sobre el suelo cubierto de pieles.

Tardó varios días en reponerse, y se dio cuenta entonces de los estragos que habían causado en su cuerpo aquellos meses de vida rigurosa y austera en las Tierras Muertas. Las gentes de la tribu cuidaron de él y, cuando se encontró un poco mejor, percibió que los más jóvenes solían espiarlo a menudo desde la entrada, cuando los mayores no miraban. Era evidente que sentían curiosidad hacia él. Pero no parecían temerle.

Ronna no se apartó de su lado. Era difícil comunicarse por señas, de modo que el elfo trató de aprender algunas palabras de su lengua que, aunque le parecía tosca y rudi-mentaria comparada con el bello idioma élfico, tenía algo que le llegaba al corazón sin saber por qué.

Una tarde, Log entró en su choza y se sentó junto a él para tratar de establecer comunicación. Había traído consigo varios pedazos de cuero en los que había diversas imágenes pintadas. El elfo las reconoció: muchas de ellas reproducían las pinturas murales de la cueva que le había mostrado Ronna. A través de ellas, del lenguaje gestual y de lo poco que había aprendido de su idioma, el elfo pudo comprender un poco mejor la historia de aquellas gentes. Tenían una leyenda según la cual sus antepasados habían llegado a aquel lugar huyendo de una terrible catástrofe. Estaban a punto de morir de hambre y de frío cuando los lobos los acosaron, pero entonces un enorme lobo, más grande que los demás, había acudido en su ayuda. El lobo y los humanos se hicieron amigos; el lobo les enseñó a so-brevivir y, a cambio, ellos le enseñaron a hablar. Y, cuando fue capaz de hablar como un ser humano, el lobo adquirió también la habilidad de poder transformarse en hombre a voluntad. Un día los abandonó para marcharse lejos, pero antes juró que su espíritu siempre protegería a la tribu y que ningún lobo los dañaría jamás. A cambio, ellos debían prometer que no matarían ni herirían nunca a ningún miembro de su especie.

Se marchó y nunca regresó, pero ellos jamás olvidaron su nombre: Fenris.

Aquellos hombres y mujeres se hicieron llamar, en adelante, la Tribu del Lobo, y habían estado aguardando el regreso de Fenris desde entonces, añorando al hermano perdido a quien tanto debían. La bendición de Fenris seguía con ellos, dado que ningún lobo podía atacarlos, pero jamás habían vuelto a saber de él.

«Fenris no es un dios para ellos», pensó entonces el elfo. «Es un héroe mítico, pero también el miembro que le falta a la tribu para sentirse completa».

Trató de hacerles comprender que él no era la persona que estaban esperando. Incluso les reveló su nombre élfico, pese a que al abandonar la cabaña de Novan había jurado que no volvería a utilizarlo. Ronna se echó a reír. Tardó un buen rato en hacerle entender que, por supuesto, ellos sabían que él no era Fenris; pero probablemente se trataba de uno de sus descendientes y, por tanto, se le podía llamar así.

Ante esto, él no supo qué decir. La historia de aquella gente parecía una leyenda, pero la figura del enorme lobo que se había transformado en hombre le había llamado la atención. ¿Podría haber sido aquel Fenris uno de los primeros licántropos? ¿Procedían los hombres-lobo, en su origen, de animales que se habían transformado en humanos, y no al revés? ¿En qué momento el animal bondadoso y protector de las leyendas se había transformado en una bestia asesina? ¿Y por qué?

En cualquier caso, y aunque no fuera más que una leyenda, había algo en ella que lo consolaba inmensamente. Fenris no había sido un asesino. Él y su tribu, la Tribu del Lobo, habían convivido en paz.

Y, por otro lado, aquel mito explicaba también por qué al tratar de atacar a Ronna se había transformado en elfo de nuevo. ¿Podía haber sido la mano protectora de Fenris, el hermano perdido, quien había salvado la vida de la chica en aquella ocasión?

Sintió que una llama de esperanza alimentaba su corazón por primera vez en mucho tiempo. Si eso era cierto, no podía hacer daño a aquellas personas. Tal vez hasta podría encontrar un hueco entre ellos, si lo aceptaban como uno más. Porque, a pesar de que su madre lo había educado para que soportarse la soledad, esta le había pesado como una losa desde la muerte de Novan.

Mirando alternativamente a Ronna y a Log, el elfo se señaló a sí mismo, vacilante, y pronunció la palabra que utilizaba aquella gente para referirse a los miembros de su tribu. Lo hizo con timidez, esperando un rechazo por su parte, puesto que era muy consciente de los rasgos élficos que lo hacían tan diferente de ellos.

Log no sonrió, pero el rostro de Ronna resplandeció de alegría. Impulsivamente, le echó los brazos al cuello y lo abrazó como a un hermano, y el elfo sintió que su corazón, congelado desde hacía mucho tiempo, volvía a latir al calor del de ella.

Celebraron una especie de rito de aceptación en la tribu. Lo vistieron con uno de sus trajes de pieles, mejor confeccionados que el tosco manto que se había hecho él mismo; sujetaron su cabello castaño con una banda de cuero, al estilo del clan, y adornaron su rostro con las pinturas tribales. Después, con solemnidad, le otorgaron públicamente su nuevo nombre, y pasó a llamarse definitivamente Fenris. Bailaron toda la noche en torno a la hoguera y Fenris participó de aquella salvaje alegría. Cuando por fin, agotado, se dejó caer en el suelo para contemplar cómo bailaban los demás, Ronna fue con él y se sentó a su lado. No tardó en dormirse, con una sonrisa en los labios, la cabeza apoyada sobre el hombro del elfo y sus brazos rodeando su cintura.

Tardó un poco en conocer las costumbres de la Tribu del Lobo, pero lo animaba el hecho de que ellos lo aceptaron en seguida como uno más. Algunos lo miraron con desconfianza al principio, pero todos asistieron a su transformación la siguiente noche de luna llena, y ya ninguno volvió a tener dudas acerca de su parentesco con su animal totémico.

Algo debía de tener de cierto la leyenda de la Tribu del Lobo, puesto que la bestia no atacó a ninguno de ellos.

Una nueva vida comenzó entonces para Fenris. Se esforzó por aprender la lengua de sus nuevos amigos y adoptar sus costumbres. Hombres y mujeres salían a cazar juntos y traían comida para toda la tribu. Cuando las mujeres se quedaban embarazadas, permanecían en el poblado hasta que los niños ya no necesitaban tanta atención y podían quedarse al cuidado de los ancianos de la tribu.

Por tal motivo, también Ronna se unía a las partidas de caza, y casi siempre escogía el grupo en el que se encontraba Fenris. El elfo lo aceptó como algo natural, al igual que el resto de la tribu. Había sido ella quien lo había encontrado y lo había llevado al poblado, con sus hermanos perdidos, y por ello era lógico que entre los dos hubiese un vínculo especial. Tanto los hermanos mayores como la madre de la chica aceptaron a Fenris con alegría y orgullosos de que el recién llegado se uniese a su familia como un miembro más.

Fueron días felices para el elfo-lobo. Por fin se sentía querido y aceptado no solo por una persona, sino por todo un grupo. Seguía sin poder mantener el control de sus actos las noches de luna llena, pero al menos sabía que no haría daño a los que le rodeaban. En tales ocasiones, Ronna salía a cazar con él, montada sobre su lomo, y los dos juntos recorrían los valles y los desfiladeros helados. Tanto la bestia como el elfo apreciaban sinceramente a la chica, y solo a ella le permitía el lobo montar sobre su lomo las noches de luna llena.

Cuando Fenris fue capaz de hablar con cierta fluidez la lengua de sus nuevos amigos, Log mantuvo una importante conversación con él.

En realidad no era un hechicero o, al menos, no en el sentido estricto de la palabra. Tampoco era un brujo. Los miembros de la tribu lo llamaban chamán, y su poder estaba relacionado con el mundo del espíritu. Era capaz de reconocer la verdadera naturaleza de una persona con solo mirarla atentamente a los ojos y, en ocasiones, cuando entraba en trance, su espíritu salía fuera de su cuerpo para fundirse con la naturaleza. Ronna le explicó que los grandes chamanes podían introducir su propia conciencia en el cuerpo de un animal, y así ver y oír a través de ellos. Nadie sabía si el chamán de la Tribu del Lobo había logrado algo semejante, porque mantenía en secreto lo que aprendía cuando su espíritu se alejaba de su cuerpo, durante el trance.

En otras circunstancias, Fenris se habría mostrado escéptico. Pero el día de su llegada había visto cómo Log descubría al lobo agazapado en su interior con solo mirarlo a los ojos, y por eso acudió a su cita inquieto y cauteloso. Ambos se sentaron en el suelo de la cabaña de Log, junto al brasero, que emitía un olor dulzón y aromático. Hablaron de cosas triviales hasta que el chamán preguntó:

—¿Qué se siente cuando te transformas en lobo?

—Dolor —respondió Fenris inmediatamente—. Dolor y miedo.

—¿No te hace sentir mejor, más poderoso, más fuerte?

—Eso es después. Pero mi mente está dormida y no puede apreciarlo. Cuando me transformo, solo puedo pensar como una bestia asesina.

El chamán asintió, pero a Fenris le dio la sensación de que no lo había comprendido.

—Vosotros no os dais cuenta porque la bendición de Fenris, el Primero, os protege. Pero nadie está a salvo junto a mí las noches de plenilunio.

—¿De dónde sacas tu poder? ¿Naciste con él?

—No es un poder, sino una maldición —corrigió Fenris.

—Nada que nos acerque tanto a nuestros hermanos los lobos puede ser una maldición —manifestó Log, mirándolo con sombría severidad—. Quiero saber por qué los dioses te han otorgado este poder a ti, un extranjero, mientras que nosotros, fieles servidores de los lobos, no podemos ser como ellos.

Fenris debería haber detectado el extraño fuego que alimentó los ojos del chamán al pronunciar estas palabras, pero estaba demasiado preocupado por expresarse correctamente. Mucho tiempo después advertiría el verdadero sentido de aquellas preguntas, pero entonces ya sería demasiado tarde.

Le habló de la licantropía, y le explicó que en el lugar del que procedía era considerada una maldición o una enfermedad, no un don. Le contó cómo, en su caso, se había manifestado al llegar a la adolescencia. Le habló de los asesinatos, del rechazo de sus semejantes, del odio y del miedo, de su largo peregrinar en busca de un hogar. Cuando terminó de hablar, sobrevino un pesado silencio. Entonces, Log lo miró fijamente y declaró con solemnidad:

—Tus días de dolor han acabado, amigo, y también tu largo viaje. Por fin has encontrado a tu familia.

Hacía tiempo que Fenris se sentía ya miembro de la tribu, pero oírselo decir al chamán, el hombre más respetado del clan, hizo que se sintiera mucho mejor.

Cuando iba a salir, sin embargo, Log le preguntó:

—¿Cómo te convertiste en licántropo? Dices que naciste así. ¿Acaso tus padres lo fueron también?

Fenris iba a contestar: «No, a mi madre la mordió un hombre-lobo cuando estaba embarazada», pero eso le hizo recordar a Novan, y no eran recuerdos agradables.

—No me gusta hablar de ello —dijo suavemente—. Creo que todavía no estoy preparado.

Los ojos del chamán relucieron un breve instante, pero se limitó a decir:

—Comprendo. Que los lobos guarden tu camino, hermano, y la bendición de Fenris, el Primero, te acompañe.

Pasó el tiempo. Semanas, meses, años. Fenris se adaptó perfectamente al ritmo vital de la tribu. Con el tiempo, Ronna se convirtió en su compañera. Fenris jamás se preguntó si estaba bien que un elfo se emparejase con una humana, porque ya no se consideraba un elfo, sino un miembro más de la Tribu del Lobo. Juntos, Fenris y Ronna exploraban su helado mundo, salían de cacería, recorrían valles, montañas y desfiladeros en sus audaces expediciones, remontando impetuosos torrentes en primavera y atravesando lagos congelados en invierno. En las noches de plenilunio era frecuente ver a lo lejos, en lo alto de algún promontorio, la figura, recortada contra la luna, de una mujer humana montada sobre el lomo de un enorme lobo.

—Eres un ser extraño —le dijo Ronna un día—. Sigues igual que la primera vez que te vi, no has cambiado nada.

—Claro que he cambiado —repuso él—. Me he vuelto más fuerte y más resistente. Y ya no soy la persona que era. Ahora soy uno de vosotros.

—No me refiero a eso. Sigues igual de joven. No has envejecido.

Fenris la miró, y se dio cuenta por vez primera de que la muchacha que había conocido era ya una mujer madura, y se preguntó, sorprendido, cuántos años habían pasado sin que lo notara. Abrió la boca para decir algo, pero no le salieron las palabras.

—¿Por qué no me lo dijiste, Fenris? —preguntó ella—. ¿Por qué no me dijiste que eres inmortal?

—No soy inmortal, Ronna. Tú misma me has visto herido en más de una ocasión, tras una cacería. Yo también envejeceré y moriré. Solo que... quizá tarde más tiempo.

—¿Es porque eres medio lobo?

—No, es porque soy un elfo.

Le había hablado de los elfos mucho tiempo atrás, cuando Ronna le había preguntado acerca de su extraño aspecto. Pero no le había mencionado la extraordinaria longevidad de la raza élfica, para la que las vidas humanas eran apenas un suspiro.

—¿Cuánto tiempo?

Fenris titubeó, sin atreverse a confesar la verdad.

—¿Cuánto tiempo, Fenris? —insistió ella.

—Los elfos más longevos pueden llegar a vivir mil años —dijo él finalmente, incómodo.

Una sombra de dolor cruzó el rostro de Ronna. Los ojos se le llenaron de lágrimas.

—¿Por qué no me lo dijiste? —gimió.

—Ronna, yo...

Quiso acercarse a ella, pero la mujer sacudió la cabeza, le dio la espalda y salió corriendo. Fenris fue tras ella, pero pronto la perdió de vista. La buscó por todos los lugares donde se le ocurrió que podía estar, y por fin la encontró sentada junto al río, hecha un ovillo, con el rostro enterrado entre los brazos. Se acercó a ella con precaución, temiendo asustarla, pero Ronna no se movió. Fenris se sentó junto a ella y la rodeó tímidamente con los brazos.

—Ronna, lo siento.

Ella lo miró. Ya no lloraba, pero tenía los ojos enrojecidos.

—Es por eso por lo que no tenemos hijos, ¿verdad? —dijo.

La pregunta lo cogió completamente por sorpresa. Nunca lo había pensado. Jamás se había planteado la idea de tener hijos, era demasiado joven.

Pero era evidente que Ronna ya no era ninguna niña. La contempló de nuevo, preguntándose otra vez cómo había podido pasar tanto tiempo para ella sin que él se diese cuenta. Todas las mujeres de la tribu, a su edad, tenían ya uno o dos hijos.

—Nunca me lo había planteado —confesó.

—Si es por eso —dijo Ronna—, si es porque tú eres un elfo y yo soy una humana, entonces nunca podremos formar una familia.

—No lo sé, Ronna. Nunca he oído hablar de seres medio humanos y medio elfos. Tal vez sea verdad que nuestras dos razas son incompatibles. Nunca lo había pensado.

—¿Cuántos años tienes?

Fenris se lo dijo. Los ojos de Ronna se llenaron de lágrimas.

—Pareces tan joven... Pareces mucho más joven que yo. Si esto sigue así, pronto dejaremos de hacer buena pareja.

—Eso no me importa.

Ronna lo miró a los ojos, muy seria.

—¿Pensarás igual dentro de treinta años, cuando yo sea una anciana y tú sigas siendo joven? ¿Me mirarás igual? ¿O tus ojos se volverán hacia mujeres más jóvenes y más hermosas?

Fenris sintió que el corazón se le rompía al oírla decir aquello. Cogió suavemente a Ronna por la barbilla, la miró a los ojos y dijo:

—Tú siempre serás hermosa, Ronna.

—Eso dices ahora. Oh, Fenris, ¿qué me has hecho? ¿Por qué no me lo dijiste? ¡Ojalá no fueras un elfo! ¡Ojalá no te hubiera encontrado ese día en las montañas!

Fenris retrocedió como si hubiera recibido una bofetada. Buscó la mirada de ella y no vio odio en sus ojos, como había temido, sino una honda tristeza y, sobre todo, amor, mucho amor.

Más tarde, ella se disculpó por sus palabras y no volvieron a hablar del tema, pero nada volvió a ser igual. A pesar de que en la Tribu del Lobo los ancianos eran honrados y respetados, Ronna desarrolló un terrible pánico a envejecer. Fenris la descubrió a menudo contemplando su rostro en el agua con una expresión de profunda tristeza. Una tarde en que se inclinaron los dos juntos para beber, vieron su reflejo en el agua: el pelo oscuro de Ronna ya mostraba mechones grises y sus ojos parecían tristes y cansados, rodeados de arrugas. Su figura, a pesar de no haber tenido hijos, ya no era como antaño.

A su lado, el elfo aparecía muy joven. Insultantemente joven, comprendió en seguida. Se apresuró a meter la mano en el agua para deshacer la imagen, pero Ronna ya la había visto y el brillo de sus ojos se debilitó un poco más.

Fenris no sabía qué hacer para resolver aquella situación. No importaba qué hiciera para tratar de demostrarle que la quería, porque ella seguía sintiéndose desgraciada. Sus correrías de las noches de plenilunio eran cada vez más escasas. Ronna no tenía ya ganas de comerse el mundo. Ahora le gustaba sentarse a contemplar la luna llena, apoyando la cabeza en el peludo lomo del lobo y dejando escapar un par de lágrimas de vez en cuando.

Fenris se sentía cada vez más confuso. A Ronna no le gustaba que fuera un elfo, y lo que más amaba de él era, precisamente, su parte de lobo. Shi-Mae, por el contrario, había odiado al lobo y se había enamorado del elfo.

Una tarde habló de ello con el chamán, mientras los dos paseaban por las cercanías del poblado. Detrás de Log trotaba Shan, un joven lobo que había adoptado tiempo atrás, cuando aún era un cachorro, y que se había convertido en su compañero inseparable.

—¿Me habríais aceptado entre vosotros si hubiese sido un elfo corriente?

—Por supuesto que no —replicó Log con una inquietante sonrisa, acariciando la peluda cabeza de Shan—. Tú desciendes de nuestro venerado Fenris, el Primero, y es esto lo que te da derecho a un puesto de honor entre nosotros.

—Pero no soy solo un lobo —murmuró Fenris, cada vez más abatido—. También soy un elfo. ¿Qué hay de todo eso?

—Un elfo que no envejece y que no puede tener descendencia con una humana.

—¿Te habías dado cuenta?

—Toda la tribu lo comenta. Créeme, si no fuera porque es un gran honor para Ronna tenerte como compañero, muchos te odiarían. Te llevaste a la joven más valiente y encantadora del clan y es evidente que no la has hecho feliz.

Aquellas palabras fueron un duro golpe para el elfo. Hacía tiempo que lo intuía, pero nadie se lo había expuesto con tanta franqueza.

—Entiendo —murmuró—. ¿Qué crees que debería hacer, entonces? ¿Marcharme?

—Oh, no. Tu lugar es este, hijo de Fenris, el Primero. Pero tal vez podrías pensar en designar un heredero... alguien que pudiera transmitir tu legado a los futuros miembros de la tribu, ya que tú no vas a tener hijos.

—¿Qué quieres decir?

Log se inclinó hacia él, colocó su mano sobre el brazo del elfo y le susurró confidencialmente:

—Sé que tu don puede transmitirse. Si lo entregaras a alguien de la tribu, un humano que pudiera tener descendencia, la herencia del Primero permanecería con nosotros. Yo, por ejemplo, me sentiría muy orgulloso si me considerases digno de tal honor.

Fenris se apartó de él, horrorizado.

—¿Qué estás diciendo? ¿Quieres que te muerda?

Los ojos de Log destellaron con un brillo de triunfo.

—¡Ah! —dijo solamente—. ¿De modo que así es como se transmite?

Fenris lamentó no haberse callado, pero ya era tarde. El chamán llevaba años tratando de sonsacarle la manera de transformarse en licántropo y, con excusas y evasivas, hasta entonces el elfo se las había arreglado para no revelárselo. En aquel tiempo había llegado a conocer a Log y se había dado cuenta de que se sentía inferior con respecto a los demás miembros de su tribu, porque era débil y enfermizo. Fenris sospechaba que en sus trances no había logrado la fusión completa con ningún animal, y era esta la razón por la cual parecía obsesionado con las transformaciones del elfo... Por otro lado, Log ya no era joven como cuando Fenris lo conoció, y cada vez estaba más impaciente por hacer realidad sus deseos. No importaba cuán gráficamente le describiera los crímenes cometidos por él mismo y por Novan; al chamán seguía sin entrarle en la cabeza que transformarse en lobo pudiera ser algo negativo o peligroso.

—No podría morderte aunque quisiera —logró farfullar finalmente—. Te protege la bendición del Primero. Ningún lobo puede atacarte.

El fuego de los ojos de Log se apagó al comprender que el elfo tenía razón.

—Lo siento —añadió Fenris—. Sigo creyendo que no es una buena idea.

—Te gusta ser el único de la tribu capaz de transformarse, ¿eh? —siseó Log con rencor—. Pues entérate de una cosa, elfo: no mereces el don con el que te ha bendecido el Primero porque eres incapaz de apreciarlo. Y, lo quieras o no, encontraré la manera de ser como tú.

El chamán dio media vuelta y se marchó, seguido por Shan, dejando a Fenris muy confuso. Nunca había confiado del todo en él, pero había llegado a considerarlo una persona sensata. Y ahora descubría que Log lo envidiaba abiertamente.

Sin embargo, en aquellos momentos su relación con Ronna le preocupaba más que los celos del chamán, y ello hizo que no le concediera la importancia que debía a aquella conversación. Porque Ronna lo amaba, sí, pero aquel amor le estaba haciendo mucho daño, y estaba empezando a apreciar más al lobo que al elfo que había en él.

Por primera vez desde su llegada al poblado, Fenris se preguntó si realmente encajaba en aquel lugar.

XIII

DELIRIO

En los días siguientes, Log evitó en lo posible encontrarse con Fenris. Este trató de hablar con él, pero el chamán le había retirado la palabra y no lo disimulaba. Algunos en la tribu empezaron a preguntarse qué habría hecho Fenris para disgustar a Log, y alguien incluso se lo preguntó abiertamente, pero el elfo no podía contestar. ¿Qué iba a decir? ¿Que el chamán deseaba ser como él, y que Fenris jamás lo permitiría? Podía explicarles que no quería que nadie más tuviese que sufrir la licantropía, pero probablemente ellos reaccionarían como Log, creerían que deseaba ser el único capaz de transformarse para estar por encima de los demás. Pero Fenris, que sabía en qué se convertirían realmente, no podía dejar que aquello sucediera. Apreciaba demasiado a la Tribu del Lobo como para convertirlos en asesinos a ellos también.

Durante un tiempo no sucedió nada, aunque el chamán seguía sin hablarle. Llegó la primavera y, para celebrarlo, como todos los años, se organizó una cacería bajo la luna llena. Los mejores guerreros acompañarían a Fenris y Ronna en una expedición por las montañas, en busca de osos recién salidos del letargo. Aquel invierno había sido especialmente cruel y se había llevado a varios miembros del clan, de modo que la llegada de la primavera fue recibida con una gran alegría, como si con ella pudieran olvidar por fin la dura etapa que dejaban atrás. Se respiraba euforia en el ambiente; sería la primera cacería de tres de los jóvenes, y su júbilo y nerviosismo habían contagiado a los adultos. Uno de los muchachos era Rasloc, un sobrino de Ronna, que admiraba especialmente a Fenris y que estaba deseando unirse a su grupo de caza. Su entusiasmo logró que hasta Ronna sonriera por primera vez en mucho tiempo, animada por la perspectiva de una noche especial.

Como cada tarde antes del plenilunio, Fenris se sentó sobre una pequeña loma a ver caer el sol. Ronna se sentó a su lado, y Rasloc y varios hombres y mujeres más los acompañaron. Habían pasado muchos años, pero todavía sentían fascinación por la metamorfosis del más peculiar de los miembros de su clan.

Poco antes de que la última uña de sol se escondiera tras el horizonte, llegó un muchacho corriendo desde el poblado:

—¡Fenris! —lo llamó—. El chamán quiere hablar contigo.

Fenris se quedó sorprendido. Hacía muchos meses que Log no le dirigía la palabra.

—Vuelvo en seguida —le dijo a Ronna.

Se alejó en dirección al poblado. Saludó a un grupo de guerreros que estaban cerca de la tienda del chamán, pero ellos no le respondieron. Alguno le dirigió una mirada hosca. Fenris se preguntó qué había hecho para ofenderlos, pero no se detuvo.

Entró en la vivienda del chamán e inmediatamente notó algo raro. Miró a su alrededor, pero no vio nada extraño. Log estaba esperándolo, sentado en el suelo junto al brasero, como tantas otras veces. No había nada que se saliera de lo normal, excepto...

Olfateó en el aire. Sí, eso era: se trataba de un olor extraño, un olor que conocía y que hizo rebullir a la bestia en su interior, pero que no fue capaz de identificar.

Debería haber sospechado que algo no marchaba del todo bien, pero lo que hizo fue encogerse de hombros y saludar al chamán. Seguramente, se dijo, el olor procedería del brasero: a Log le gustaba echar hierbas aromáticas en él. Las recolectaba en primavera y verano, las dejaba secar y luego las guardaba en saquillos de piel. Su habilidad en el uso de las plantas estaba muy lejos de igualar a la del brujo que había sido amigo de Fenris en el Reino de los Elfos, pero no era tampoco desdeñable.

Log correspondió a su saludo. Fenris se sentó ante él.

—Me alegro de que vuelvas a hablarme.

—Tal vez fui demasiado duro contigo —dijo Log, encogiéndose de hombros—. Solo quería decírtelo. Y contarte algo más.

—Lo que quieras. Pero, ¿no puede esperar? Está saliendo la luna llena. Estoy a punto de transformarme.

—Oh, ¿y qué problema hay? Soy un miembro de la Tribu del Lobo. No puedes hacerme daño, ¿o sí?

—Sabes que no —gruñó Fenris.

—Entonces, ¿qué te preocupa? ¿Desconfías de mí?

Fenris vaciló. Había algo en todo aquello que no terminaba de gustarle, pero no estaba seguro de qué era, y su lógica le decía que no había motivos para preocuparse.

—Claro que no —dijo finalmente.

—Entonces demuéstramelo. Transfórmate aquí, ante mí.

Fenris frunció el ceño. Sus sentidos iban agudizándose cada vez más y ahora empezaba a percibir con claridad aquel extraño olor, pero seguía sin poder identificarlo.

—No te fías de mí —concluyó Log—. Sabes que no podrías morderme aunque quisieras. ¿Por qué dudas ahora?

Fenris no respondió. Se levantó y dio media vuelta para salir de la cabaña, pero a los dos pasos la luna lo reclamó como posesión suya y comenzó a transformarse. Se detuvo, jadeando de dolor, y cayó al suelo de rodillas. Trató de arrastrarse hasta la entrada...

Pero entonces aquel olor volvió con más intensidad y en esta ocasión lo reconoció: era el aroma de la muerte. Se volvió hacia Log, sorprendido; el chamán estaba allí de pie, contemplándolo en silencio. Fenris quiso decir algo, pero solo logró emitir un gruñido. Mientras su cuerpo se metamorfoseaba en el de un enorme lobo, Fenris empezó a sentir una terrible sed de sangre, y su instinto le dijo que atacase a Log, que estaba junto a él y sería una presa fácil. Jadeó, sorprendido. Hacía años que no experimentaba aquella sensación en presencia de un ser humano. Luchó con el deseo de lanzarse contra Log y desgarrar su garganta y, mientras su espalda se encorvaba y su piel se cubría de vello, miró al chamán y susurró con un gruñido:

—¿Qué está pasando?

Sonriendo, Log alargó la mano hasta un montón de pieles que tenía tras de sí. Tiró de la primera de ellas y dejó al descubierto lo que ocultaba.

Un lobo muerto.

Shan, el lobo de Log.

Al principio, Fenris no lo comprendió. Pero después, con sus últimos pensamientos conscientes, cuando la bestia ya saltaba sobre el chamán, entendió, horrorizado, lo que este había hecho.

Al asesinar a un lobo había roto el pacto primitivo, el juramento que sus antepasados habían hecho a Fenris, el Primero. Había matado al animal sagrado, al tótem de la tribu. Por tanto, ya no pertenecía a ella, y la bendición de Fenris le había sido retirada.

Lo último que pensó el elfo antes de sumirse en la oscuridad y dejar paso a la bestia fue que Log estaba loco; no podía ser de otra manera, puesto que había violado un pacto ancestral, en el que creía con toda su alma, y había arriesgado su vida para transformarse en un hombre-lobo, en un monstruo.

Se despertó al día siguiente con el cuerpo dolorido y una fuerte jaqueca. Cuando trató de levantarse, se dio cuenta de que no podía y en seguida descubrió por qué: lo habían atado de pies y manos y estaba echado en el suelo de una cabaña pequeña y oscura que no era la suya. Gritó, llamando a Ronna, y un joven guerrero asomó la cabeza por la puerta y le dirigió una mirada llena de desprecio. Fenris, sorprendido, no fue capaz de decir nada. Lo conocía desde que era un bebé y siempre se habían llevado bien.

El guerrero se fue sin decir una palabra y al cabo de un rato apareció Ronna, que corrió a abrazarle.

—Oh, Fenris —suspiró—. ¿Por qué lo has hecho?

—¿Hacer qué? —preguntó él, sorprendido.

Entonces recordó de golpe todo lo que había pasado la noche anterior. Trató de levantarse, pero las cuerdas lo retuvieron y se debatió furioso.

—¿Qué ha pasado? ¿Dónde está Log?

—Entonces, ¿lo recuerdas? —Ronna lo miró con una sombra de temor en sus ojos.

—Recuerdo hasta el momento en que me transformé en lobo y salté sobre él para matarlo —murmuró el elfo en voz baja.

—Gritó pidiendo auxilio. Shan, su lobo, saltó a defenderlo —le disparó una mirada cargada de reproche—. Lo mataste, Fenris. ¿Cómo pudiste?

—¿Que lo maté? —repitió Fenris, presa de pánico—. ¿A Log?

—No, a Shan —gimió Ronna, horrorizada—. ¡A un lobo! ¡A uno de nuestros hermanos! Fenris, ¿cómo fuiste capaz? ¡Eres uno de ellos!

—Pero... ¿Log está bien?

—Sí, había un grupo de jóvenes cerca y entraron en seguida a socorrerlo. Por fortuna, llegaron a tiempo.

—Y... ¿lo mordí?

—No..., no estoy segura. Dicen que está herido, pero que no es grave. Desgraciadamente, era demasiado tarde para el lobo. Fenris, has matado a un lobo y has atacado a nuestro chamán. ¿Te das cuenta de lo que eso significa?

—Un momento, un momento. Yo no maté a ese lobo. Ya estaba muerto.

Le relató lo que había sucedido la noche anterior. Le contó también la conversación que había mantenido tiempo atrás con el chamán y cómo este le había reprochado que quisiese guardarse su «don» para sí. Conforme iba hablando, mejor comprendía la trampa que le había tendido Log.

—¡Lo hizo a propósito para que le mordiera! Él sabía que esos chicos estaban allí y que podrían defenderle, porque ellos seguían siendo miembros de la tribu y, si se interponían entre los dos, yo no podría matarle. De hecho, es muy posible que no estuviesen allí por casualidad, ¡él los había llamado! ¡Les había dicho que estuvieran alerta, porque yo intentaría atacarle!

—¿Y acaso no lo hiciste? —replicó Ronna con cierta dureza.

—¡Claro que lo hice, Ronna! —casi gritó él—. ¡He intentado explicaros muchas veces que soy una bestia cruel y asesina las noches de luna llena! Lo único que os protege de mí es la bendición del Primero, pero Log quería que yo le mordiese para ser como yo, y por eso mató a Shan, ¿entiendes? Rompió el pacto ancestral a propósito, para que yo pudiese atacarle. ¡Y ahora probablemente se ha convertido en un hombre-lobo, en un asesino!

Ronna lo escuchaba horrorizada.

—¿Cómo te atreves a hablar así del chamán? ¡Él nunca haría nada parecido!

Fenris quiso responder, pero ella salió de la choza con los ojos llenos de lágrimas.

En los días siguientes, el elfo se enteró de muchas cosas gracias al joven Rasloc, que acudía a verlo a escondidas y le contaba cómo estaba la situación.

No muy bien para él, desde luego.

—Log dice que tú nos has engañado —dijo Rasloc— y no eres uno de los nuestros. Dice también que, como has atacado a un hombre y matado a un lobo, ya no perteneces a nuestro clan. Y eso demuestra, además, que no eres un auténtico lobo, porque, de lo contrario, no habrías podido herirle. Dice que eres una criatura de malignos y extraños poderes, que puedes adoptar la apariencia de un lobo, sin ser realmente uno de ellos. Y que por eso debes morir.

—¿Y los demás... le creen?

—Algunos sí y otros no. Yo no le creo, Fenris. Yo confío en ti. Y ya verás cómo todo se soluciona pronto.

Pero, a pesar de la fe incondicional de Rasloc, Fenris sabía que las palabras del chamán tenían mucho peso en la tribu y que no sería tan sencillo demostrar su inocencia. El elfo creía estar viviendo una pesadilla. Nuevamente su condición de licántropo le arrebataba el amor y la confianza de sus semejantes. Pero en esta ocasión, lo sabía, era inocente. Había atacado a Log porque él le había obligado a ello.

Una noche, Ronna volvió a entrar en el lugar donde se hallaba recluido y lo miró a los ojos con contenida emoción.

—Te creo —susurró.

Fue un alivio para él, pero no pudo evitar preguntar:

—¿Por qué?

Ronna se sentó a su lado. Su mirada era ahora de piedra.

—Log ha anunciado que el espíritu del Primero se le ha aparecido para revelarle que lo ha designado a él como su sucesor, y que se manifestará a través de su cuerpo en la próxima luna llena.

Fenris sintió que se le congelaba la sangre en las venas.

—Entonces lo consiguió —musitó—. Le mordí, como él quería. Se ha convertido en un hombre-lobo.

Ronna lo miró.

—Eso es lo de menos, Fenris. ¿No lo entiendes? Si se transforma, demostrará ante todos que el Primero le favorece y le da la razón. Todos creerán sus palabras. Serás ejecutado por traidor.

Fenris suspiró. De nuevo su mundo se rompía en mil pedazos. De nuevo tendría que elegir entre huir como una rata o morir ajusticiado como un criminal. Miró a su compañera a los ojos.

—Nunca se acabará, ¿verdad, Ronna? Quizá debería rendirme. Quizá debería dejarme morir. Cuando el mundo entero se pone de acuerdo para desear mi muerte, es porque mi nacimiento fue seguramente un error.

Se le quebró la voz. Había pensado mucho en ello desde la muerte de Novan, pero nunca se había atrevido a decirlo en voz alta. Él era una creación del hombre-lobo, un monstruo. Novan había tenido razón al autoproclamarse padre suyo. Era como él, lo quisiera o no.

—No —declaró Ronna rotundamente—. Tú no eres un error. Eres una criatura extraordinaria, Fenris, seas lo que seas. Y, si hemos de elegir entre la vida de Log y la tuya, yo elijo la tuya.

Fenris quiso abrazarla, pero estaba maniatado. Ella lo hizo por él.

Permaneció prisionero durante el resto del mes, asistiendo impotente a los preparativos de la noche del plenilunio en la que el Primero se manifestaría a través de Log.

El mismo chamán fue una tarde a visitarlo. En cuanto apareció por la puerta, Fenris sintió aquella conocida sensación de familiaridad que había experimentado junto a Novan. Definitivamente, Log era como él, se había convertido en un licántropo. Ya no había vuelta atrás.

El chamán lo contempló un instante y se llevó la mano inconscientemente al vendaje del brazo, que ocultaba sin duda la herida que Fenris le había producido al morderle. Entonces le dijo:

—Siento que un nuevo poder me recorre por dentro. Y es magnífico. Me siento más fuerte de lo que nunca he sido. Dime, ¿por qué no quisiste compartir esto conmigo? ¿Por qué tuve que arrancártelo a la fuerza?

—Porque no es un don, Log —replicó Fenris con voz ronca—. Te lo he dicho muchas veces. Es una maldición. Crees que controlas a la bestia, pero es al revés, ella te controla a ti.

Los ojos de Log brillaron febrilmente.

—Estoy deseando saber qué se siente.

—Estás loco —dijo Fenris, asqueado.

Log se inclinó junto a él y le susurró al oído:

—Aún podemos arreglarlo. Hagamos las paces, Fenris. Si te unes a mí, diré a todo el mundo que el Primero te ha perdonado y que permanecerás con nosotros. Cuando me vean transformándome, ¿quién va a dudar de mis palabras?

—Jamás —dijo Fenris ferozmente—. Ya creí una vez en bellas palabras, me dejé engatusar y me convertí en un asesino. No volveré a ser cómplice de alguien que trata de convencerme de que es bueno ser un licántropo.

La sonrisa de Log desapareció.

—Entonces, tendrás que morir. Será lo mejor para el clan. Al fin y al cabo, siempre fuiste un extranjero.

El día del plenilunio, Rasloc fue a verle al atardecer y, precipitadamente, le susurró que las cosas se estaban poniendo difíciles, pero que él y Ronna tenían un plan para liberarlo. No pudo explicarle más porque la llegada de uno de los guerreros le hizo salir precipitadamente de la tienda, pero Fenris se sintió algo mejor. Al menos sabía que tenía amigos que no lo abandonarían.

Poco antes del anochecer, Fenris fue conducido hasta las afueras del poblado. Allí, sobre una loma, Log aguardaba majestuosamente la llegada de la noche, vestido para la ocasión y adornado con un imponente tocado de plumas. Toda la tribu se hallaba allí reunida, pero Fenris no vio a Ronna por ninguna parte. Por pura rebeldía, se debatió cuando lo ataron a un poste que habían plantado allí, al pie de la loma, pero fue inútil.

Log alzó los brazos y pronunció un largo discurso, proclamando la grandeza del Primero como padre y creador de todos ellos. Fenris escuchó boquiabierto. ¿Desde cuándo aquel lobo mítico se había transformado en un dios? ¿Desde cuándo era Log su sacerdote?

Pero lo que más le sorprendió fue ver cómo lo escuchaban los miembros de la tribu. «Le creen», pensó con amargura. «Estaban deseando creerle, porque mi versión lo convierte en un sacrílego, un traidor y un farsante, y ellos no quieren ni pensar que el chamán, el símbolo de su tribu, sea un individuo así».

Log terminó de hablar y se volvió hacia el horizonte. Todos siguieron la dirección de su mirada: la luna llena que comenzaba a emerger tras las montañas.

Fenris sintió que la bestia despertaba en su interior, como tantas otras veces. Mientras se transformaba, vio por el rabillo del ojo que el chamán comenzaba a metamorfosearse también, entre aullidos de dolor, y lo oyó gritar:

—¡Soy un lobo! ¡Soy Fenris, el Padre de los Lobos!

Y entonces oyó también la voz de Ronna que susurraba en su oído:

—No tengas miedo; vamos a marcharnos de aquí.

Empezó a desatarle las ligaduras, pero Fenris estaba ya a medio transformar y las rompió de un solo tirón.

—Vámonos —dijo con voz ronca.

Log vio que se marchaban y aulló de rabia. Fenris se volvió hacia él justo a tiempo para ver cómo el chamán, ya casi completamente transformado, corría hacia ellos con un brillo de salvaje locura en sus ojos.

—¡Vas a morir, elfo! —gruñó.

Fenris no había consumado del todo su propia transformación; siempre había sido algo más lento que Novan, pero lo había atribuido al hecho de que el mago era un Señor de los Lobos. Ahora descubría que, probablemente, todos los hombres-lobo fueran más rápidos en transformarse que los licántropos elfos, en el caso de que hubiera más como él. El cuerpo de Fenris estaba ya casi completamente cubierto de vello y sus colmillos se habían afilado, pero no era aún un lobo completo; en cambio, para cuando Log saltó sobre ellos, el chamán ya no era más que una bestia.

Fenris lanzó un grito de advertencia, pero dos figuras se interpusieron entre él y el hombre-lobo, que cayó hacia atrás como herido por un rayo.

Ronna y Rasloc.

Los dos se habían plantado ante Fenris a modo de escudo, y, tras un primer momento de pánico, el elfo alabó su decisión. Porque ellos seguían protegidos por la bendición del Primero, y Log, que parecía haber chocado contra una fuerza invisible, comenzó a transformarse rápidamente en hombre de nuevo, como le había sucedido al propio Fenris en su primer encuentro con Ronna.

Una nueva sacudida interna le hizo aullar de dolor, mientras su propio cuerpo seguía sufriendo la metamorfosis. Se puso a cuatro patas y Ronna saltó sobre su lomo.

—¡Sube, Rasloc! —lo apremió ella.

El muchacho vaciló y echó una mirada a su padre, que corría hacia ellos.

—No, yo me quedo; confío en vosotros, pero este es mi clan y mi gente.

Ronna no insistió; los dos salieron huyendo, dejando atrás al resto de la tribu, que no se atrevía a intervenir, y a Log, que, según se iba alejando Ronna, recuperaba otra vez sus rasgos de lobo.

La figura a medio transformar del chamán fue lo último que vio Fenris antes de culminar su propia metamorfosis y perder la conciencia para dar paso a la bestia.

Despertó en el interior de una cueva, y al mirar en torno a sí, vio a Ronna dormida junto a él. Trató de moverse para no despertarla, pero el sueño de ella era ligero e intranquilo, y abrió los ojos.

—Ya estás despierto —murmuró.

Fenris la miró. Estaba muy pálida y ojerosa, y llevaba el cabello muy despeinado.

—¿Qué ha pasado?

—Escapamos de Log —simplificó ella—. Monté sobre tu lomo y huimos hacia el sur, siempre hacia el sur. No hemos dormido en toda la noche. Antes del amanecer buscamos refugio para que te transformaras, y... aquí estamos.

Fenris calló, confuso.

—No podemos volver —añadió ella—. Te matarán.

—Pero, ¿y tú? No puedes dejar a los tuyos.

El rostro de Ronna se endureció.

—No quiero vivir en un clan gobernado por Log —dijo simplemente.

Fenris no discutió.

Descansaron un poco y continuaron su viaje hacia el sur, buscando tierras más benignas. Días después llegaron hasta un pequeño bosquecillo al pie de las montañas y decidieron establecerse allí. No se habían alejado mucho de la aldea, pero no esperaban que Log fuera a buscarlos. Como comentó Fenris con sorna, lo único que quería el chamán era perderle de vista para siempre, y él, desde luego, no pensaba regresar.

La pareja vivió tranquila durante algunos meses. A pesar de su huida, Ronna seguía respetando a los lobos y la bendición del Primero todavía la protegía, por lo que Fenris podía transformarse con la tranquilidad de saber que no le haría daño.

Pasó el tiempo y Fenris empezó a pensar que podría recuperar la felicidad perdida. Pero un día un grupo de personas se presentaron en el bosque. Eran miembros de la Tribu del Lobo y, al principio, el elfo y su compañera no se atrevieron a salir del escondite desde el que los espiaban, por miedo a que hubieran sido enviados por Log. Pero eran casi todo mujeres, ancianos y niños, y parecían agotados y hambrientos. Al frente de ellos iba Rasloc, pálido y mucho más delgado de lo que recordaban. Apoyada en su brazo caminaba una anciana de cabello blanco. Olvidando todas sus precauciones, Ronna exclamó al verla:

—¡Madre! —y salió corriendo.

Las dos mujeres se fundieron en un abrazo. Los recién llegados las contemplaron en silencio. Fenris, incómodo, aguardaba un poco más lejos, sin saber si sería o no bien recibido si se acercaba. La madre de Ronna, llamada Rua, se separó de su hija para mirar fijamente al elfo.

—Tenéis que ayudarnos —susurró—. Log se ha vuelto loco.

Fueron a cazar y trajeron comida para asar en la hoguera. Cuando todos estuvieron calientes y saciados, los recién llegados contaron su historia.

Después de la Noche de la Transformación, como se debía llamar al glorioso momento en que el Gran Log se había fusionado con Fenris, el Primero, pasando a llamarse Fenlog, las cosas habían cambiado mucho en la Tribu del Lobo. El chamán se había rodeado de un grupo de jóvenes que lo idolatraban y estaban completamente convencidos de que él era la reencarnación del lobo ancestral. Log —o Fenlog, como se hacía llamar ahora— no había tardado en declarar que la amistad con los lobos había terminado. El hombre era claramente superior al lobo y, por tanto, este debía ser dominado, no idolatrado. Y, por ello, solo a aquellos que demostraran su valor matando a un lobo se les concedería el honor de formar parte de los Elegidos.

Los miembros de la tribu lo escucharon horrorizados, pero algunos jóvenes bebieron de sus palabras con fervor. Pronto empezaron a celebrarse en las noches de plenilunio unos macabros ritos de iniciación en los cuales el neófito debía matar a un lobo con sus propias manos. Una vez hecho esto, Fenlog podía, bajo su forma de lobo, morderle y transformarle en uno de los Elegidos. Por lo visto había descubierto que, si era él el que mordía y convertía a un humano en hombre–lobo, poseía cierta influencia sobre él. Pero parecía ser que esa influencia no se extendía a la bestia que habitaba en su propio cuerpo, porque ya habían muerto varios jóvenes durante los rituales de las noches de plenilunio. En ocasiones, Fenlog, incapaz de controlarse, no se contentaba con morder al iniciado, sino que lo mataba y devoraba. Él justificaba aquel comportamiento diciendo que los fallecidos no eran dignos del poder del lobo, puesto que no eran capaces de dominarlo. A pesar de todo, los seguidores de Fenlog continuaban apoyándolo fielmente. Fenris se estremeció al pensar en Novan, y en cómo lo había admirado incluso tras haberse enterado de que era un asesino.

Al principio eran unos pocos, siguió contando Rua, pero pronto algunos de los guerreros más fuertes envidiaron a aquellos que se transformaban en lobo las noches de luna llena. Y así, poco a poco, el grupo fue creciendo...

—La aldea es un infierno —dijo un viejo guerrero—. Los hombres-lobo gobiernan y ejecutan en nombre de Fenlog a todo el que se atreve a oponérseles.

—Pero como lobos no pueden haceros daño —dijo Ronna.

—Pero sí como hombres.

—Yo me escapé hace mucho tiempo —murmuró Rasloc—, cuando mi vida peligraba porque todos mis amigos se unieron a Fenlog y yo me negué a seguirlos.

—El último plenilunio salieron a cazar y aprovechamos para escapar —concluyó Rua—. Encontramos a Rasloc en el bosque y decidimos venir a buscaros. Supusimos que os habríais dirigido hacia el sur, dado que el viaje hacia el oeste es duro, hacia el este están las montañas y hacia el norte ya no hay nada. Vinimos en vuestra busca. Queríamos que supieses, Fenris..., que sentimos mucho haber dudado de ti.

Fenris sintió un nudo en la garganta y volvió la cabeza con brusquedad.

—¿Qué vais a hacer ahora? —preguntó Ronna.

Los ojos de Rua brillaron como el acero.

—Log ha traído la desgracia a nuestro clan. Debe morir.

—No, no ha sido él —intervino Fenris en voz baja—. Fui yo. Llevo la muerte y la desgracia allá donde voy. Me engañaba a mí mismo al pensar que podía vivir entre vosotros sin causar daño. Todo esto que ha pasado es culpa mía.

Sobrevino un silencio. Entonces Rua se acercó a él y lo miró a los ojos.

—Si es culpa tuya, arréglalo —dijo—. Destruye al monstruo que has creado.

XIV

CITA CON EL DESTINO

Faltaba aún un poco para la puesta de sol, pero todos habían acudido ya al lugar acordado.

A un lado, Fenris y los suyos, liderados por Ronna y Rasloc. Eran apenas un grupo de andrajosos que lo habían perdido todo, excepto la esperanza, y que, a pesar de sus semblantes pálidos, mostraban una mirada limpia y un gesto sereno.

A otro lado, el que ahora se hacía llamar Fenlog, rodeado por un grupo de arrogantes y poderosos guerreros entre los que se encontraban también algunas mujeres. Todos ellos vestían con pieles de lobos, algo que hacía apenas unos meses les habría parecido horrendo y repugnante, y esbozaban una sonrisa de suficiencia. En el bando de Fenris, a más de uno se le llenaron los ojos de lágrimas al ver en qué se había convertido la tribu.

«Es culpa mía», pensó el elfo, comido por los remordimientos. «Y yo he de arreglarlo».

A simple vista, cualquiera habría apostado por el bando de Fenlog. El semblante lampiño y delicado del elfo contrastaba vivamente con los rostros barbudos y feroces de los guerreros varones, que eran indudablemente mucho más fuertes y musculosos que la gente de Fenris; pero este sabía que eran ellos, sobre todo los niños y los jóvenes como Rasloc, quienes poseían la clave del futuro de la Tribu del Lobo.

No iban a luchar todos. Fenris podría haber atacado a Fenlog en cualquier otro momento, tal vez disparándole una flecha desde la distancia, en la noche, aprovechándose de su aguda visión élfica. Pero entonces volvería a ser un asesino. Igual que Novan, que en una situación similar, lo había atacado a él a traición y por la espalda.

No, se enfrentarían en un combate de igual a igual. El elfo había hecho llegar un desafío al chamán y los dos lucharían como lobos cuando saliese la luna llena. Sería un combate largo y agotador, dada la gran capacidad de regeneración de ambos, pero Fenris estaba dispuesto a hacerlo. Y Fenlog no podía dejar de responder al desafío porque, si lo rechazaba, quedaría como un cobarde ante los suyos.

De modo que allí estaban, esperando la puesta del sol, mirándose el uno al otro, desafiantes, pero a una prudente distancia. Fenris solo lamentaba que fuese a perder la conciencia después de transformarse. No dudaba de que la bestia atacaría a Fenlog, puesto que le odiaba casi tanto como él, pero habría querido estar presente durante el combate, sobre todo porque los guerreros del chamán se transformarían también y, si bien sabía que no podían hacer daño a Ronna y a los suyos, y que en principio no se entrometerían en el duelo particular de su jefe, no estaba seguro de lo que sucedería si él mismo resultaba vencedor.

Eran demasiados interrogantes y, sin embargo, el elfo sabía que aquello no podía resolverse de otra manera.

—¿Sabes a qué has venido hoy, elfo? —dijo de pronto Fenlog con una sonrisa—. Has venido aquí a morir. Hoy tenías una cita con tu destino.

Hubo risas entre los guerreros. Fenris no se alteró.

—Es posible —admitió—, pero, en tal caso, tú morirás conmigo.

Fenlog esbozó una sonrisa siniestra.

—Ya veremos.

Los dos a la vez se volvieron hacia el horizonte. El último rayo de sol se ocultó tras las montañas, y, lentamente, un manto de oscuridad salpicado de estrellas comenzó a cubrir las Tierras Muertas. Aún tuvieron que aguardar un poco más hasta que la luna llena asomó, soberana y magnífica, por detrás de la cordillera.

Todos los hombres-lobo comenzaron a transformarse; era un terrible espectáculo, porque, a pesar de que parecía claro que la metamorfosis les resultaba espantosamente dolorosa, sus rostros estaban iluminados por una febril expresión extática, como si estuviesen experimentando algo infinitamente maravilloso.

También Fenris empezó a transformarse, pero comprendió en seguida que, como sospechaba, su proceso de metamorfosis era más lento que el del resto de los hombres-lobo. Sintió un breve ataque de pánico al darse cuenta de lo que ello significaba: Fenlog estaría listo para atacar antes de que él se hubiese transformado del todo, y, por tanto, podría sorprenderlo cuando todavía era vulnerable.

No fue el único que se percató de ello. Con un gruñido de triunfo, Fenlog, ya completamente convertido en lobo, se volvió hacia él y saltó hacia adelante con los ojos repletos de furia asesina.

Fenris, todavía a medio transformar, se preparó para defenderse. Pero Ronna gritó:

—¡¡Cuidado!!

Y se lanzó contra él, empujándolo hacia un lado. Los dos cayeron al suelo. Instintivamente, Fenris cubrió el cuerpo de ella con el suyo propio cuando el pesado cuerpo de Fenlog cayó sobre él. Un nuevo espasmo le hizo gemir de dolor, y batalló un momento contra la bestia que luchaba por dominarlo mientras trataba de comprender qué estaba sucediendo.

Fenlog lo había alcanzado, sí..., pero estaba muerto. Una flecha sobresalía de su pecho, una flecha que le había acertado en el corazón, causándole una terrible herida que quemaba su carne como si se tratase de ácido.

Plata.

Fenris comprendió entonces que la intervención de Ronna no había tenido por objeto protegerlo de Fenlog, sino apartarlo de la trayectoria de aquella flecha, que estaba destinada a él.

—¿Qué está pasando? —jadeó Ronna.

Fenris se convulsionó de nuevo y su cuerpo se transformó definitivamente en el de un lobo.

—Tenemos que salir de aquí —gruñó.

Ronna saltó sobre su lomo y Fenris echó a correr. Más flechas atravesaban el aire, ensartando los cuerpos de los hombres-lobo, que aullaban de dolor, aterrorizados, incapaces de comprender qué era aquello que les abrasaba la carne de aquel modo. Nadie en la Tribu del Lobo conocía la plata, y por tanto aquellos licántropos no tenían modo de saber que era mortal para ellos. Se habían sentido invencibles bajo su forma de lobo y ahora caían abatidos por aquellas saetas malditas. Muchos de ellos murieron allí mismo.

En sus últimos momentos conscientes, Fenris logró ver en lo alto de una loma, recortada contra la luna llena, la figura de un hombre que portaba una ballesta.

Pero entonces se oyó un silbido y un gemido, y el elfo-lobo sintió que Ronna se deslizaba por su lomo para caer a tierra. Se detuvo, perplejo, y la vio un poco más atrás, echada de bruces sobre el suelo. Una flecha sobresalía de su espalda.

Loco de furia, Fenris corrió hacia ella mientras su conciencia racional despertaba de nuevo, como si por una vez la bestia y el elfo se hubieran puesto de acuerdo en algo y hubieran firmado una tregua para salvar a Ronna.

A su alrededor reinaba el caos. No era un hombre, sino varios, los que atacaban a la Tribu del Lobo aquella noche, y el clan se había unido a los hombres-lobo de Fenlog para luchar contra ellos. Fenris distinguió entre los asaltantes a dos o tres guerreros con espadas, a un par de arqueros, a un mago, que destacaba por su túnica roja, y a alguien que parecía ser muy hábil lanzando cuchillos. Incluso le pareció ver a un enano enarbolando una enorme hacha, pero no estaba seguro de ello. «Un grupo de aventureros», pensó el elfo. «Devorémoslos», dijo la bestia.

Sin embargo, la visión de Ronna yaciendo en el suelo con la flecha clavada en la espalda los puso de nuevo de acuerdo. Olvidaron la batalla que se desarrollaba a su alrededor para acudir junto a ella.

Pero una sombra se interpuso entre ellos, y el lobo recibió el impacto de una flecha que le acertó en el hombro. Aulló de dolor, tratando de arrancársela con los dientes, mientras la punta de plata corroía su carne.

—Volvemos a encontrarnos, elfo —dijo una voz acerada.

Fenris alzó la cabeza, ignorando el dolor. El hombre que le había hablado tenía el cabello de color gris, y el tiempo había cincelado ya un buen número de arrugas en su rostro de piedra, pero, por lo demás, era el mismo Cazador que él recordaba. Había cargado de nuevo la ballesta y lo apuntaba con ella, y Fenris se debatió entre el impulso de saltar sobre él para matarlo y la prudencia, que le decía que era mejor estarse quieto.

—No deberías haber disparado contra Ronna —gruñó—. Ella no te ha hecho nada.

—Te equivocas. Me arrebató a mi presa, y no quiero que vuelva a interponerse en mi camino. Tengo un contrato que cumplir.

—¿Me has estado buscando todo este tiempo? —jadeó Fenris, tratando de mantener a la bestia bajo control.

—Soy el mejor en mi oficio —dijo el Cazador lúgubremente—. He amasado una pequeña fortuna matando a licántropos, vampiros, demonios y similares, pero tú eres la única presa que se me ha escapado. Aquel día, en el bosque, te subestimé. Quizá porque te recordaba indefenso y moribundo bajo la lluvia, cuando aquel condenado mago me robó a mi presa, y no pensé que encontraría resistencia. Me sorprendiste como a un novato, me tuviste en tu poder, me perdonaste la vida. No lo he olvidado.

»Cuando recobré el conocimiento y vi que te habías marchado, pensé que me sería fácil volver a encontrarte, ahora que el mago ya no podía ocultarte de mí con sus hechizos. Pero eres hábil borrando tus huellas. Te perdí la pista.

»He pasado más de veinte años buscándote sin descanso, pero parecías haber desaparecido de la faz de la tierra. Si he llegado hasta aquí, hasta este lugar maldito, ha sido porque buscaba el límite del mundo, convencido ya de que lo habías traspasado.

—¿Quiénes son esos que has traído contigo?

—Llegué aquí hace unos meses y no te encontré, pero descubrí una tribu entera de hombres-lobo. Como comprenderás, en todo este tiempo he aprendido a odiaros con toda mi alma. Ya no necesito que me ofrezcan dinero para matar licántropos, ahora los cazo por placer. Pero en este caso eran muchos, así que regresé al mundo civilizado para reclutar algunos aliados —sonrió—. Imagina mi sorpresa cuando te vi entre esos bárbaros esta tarde, elfo. Apenas podía creer mi buena suerte. Aunque debería haber imaginado que tú estabas detrás de todo esto.

Fenris rechinó los dientes.

—Cometí un error al perdonarte la vida, pero no volveré a hacerlo —gruñó—. Deja en paz a mi gente.

Y saltó sobre él con un ladrido colérico. Nunca supo si fue la bestia solamente, o también el elfo, quien decidió atacar, aun sabiendo que se jugaba la vida.

El Cazador disparó y la flecha se clavó en el pecho de Fenris, pero este estaba demasiado furioso e ignoró deliberadamente el dolor. El hombre y el lobo chocaron con violencia y cayeron al suelo. Durante unos confusos momentos, lucharon cuerpo a cuerpo en una igualada batalla. El Cazador seguía siendo un hombre fuerte y resistente, estaba acostumbrado a enfrentarse a situaciones semejantes y, además, había soltado la ballesta para defenderse con un cuchillo de hoja de plata. Fenris, gravemente herido, sintiendo que las flechas alojadas en su cuerpo lo mataban poco a poco, peleaba con furia asesina, tratando de desgarrar la garganta de aquel hombre que, tanto tiempo después, regresaba del pasado para martirizarlo y destruir lo que más amaba. Las garras del lobo se clavaron en el cuerpo del hombre en más de una ocasión, pero también la daga de plata logró hundirse en el peludo cuerpo de Fenris, sacudiéndolo con un dolor mucho más intenso y lacerante de lo que se creía capaz de soportar.

Se apartaron un tanto y se observaron el uno al otro, jadeantes.

—No has perdido facultades, Cazador —dijo Fenris.

—Tú, en cambio, ya no eres el mismo de antes —gruñó el Cazador—. Ahora eres más bestia que elfo.

Fenris sonrió de manera siniestra.

—Eso no es verdad —dijo—. ¿Cuántos lobos parlantes habías visto antes?

El Cazador lanzó un grito de guerra, y Fenris, un ladrido de furia, y los dos chocaron nuevamente. Un rayo lanzado por el mago un poco más allá iluminó el cielo y cayó sobre los árboles cercanos, prendiéndoles fuego, pero ninguno de los dos prestó atención a aquel hecho. Fenris no había olvidado cómo el Cazador lo había perseguido implacablemente aquella noche de lluvia. Por su parte, su contrario no podía dejar de recordar que aquel elfo larguirucho le había burlado en dos ocasiones, y que en la segunda lo había humillado.

La garra derecha de Fenris rasgó el pecho del Cazador, produciéndole una profunda herida. Pero este clavó su cuchillo de plata en su costado. Fenris dejó escapar un gañido, y los dos se separaron nuevamente. El elfo-lobo sabía que estaba herido de muerte, pero las heridas del Cazador también eran profundas y no se repondría de ellas.

—Sabía que sucedería esto, elfo —dijo el Cazador—. Era nuestro destino encontrarnos de nuevo. Sabía que moriría matándote.

—Entonces, ¿por qué has venido? —jadeó Fenris.

El Cazador sonrió.

—Porque quería verte muerto.

Fenris gruñó, enseñando todos los dientes.

—No te daré esa satisfacción.

Trató de avanzar hacia él, pero las patas le temblaron y cayó al suelo. El efecto letal de la plata sobre su organismo lo estaba destrozando por dentro.

—Ya estás muerto, elfo. Despídete de la vida.

Fenris vio el cuerpo caído de Ronna por el rabillo del ojo y supo que no podía morir, no ahora, ni allí, ni mucho menos de aquella manera. Apretó los dientes.

—Nunca.

Con sus últimas fuerzas, se lanzó sobre él y lo arrojó al suelo. Su memoria le trajo el recuerdo de Ronna cayendo al suelo desde su lomo, abatida por la flecha. Aquel hombre no solo la había asesinado, sino que además le impedía acudir a su lado. La bestia exigió ser liberada, y Fenris, gustosamente, le cedió el control de su cuerpo de lobo.

Fue vagamente consciente, entre el dolor y la rabia, de que sus dientes desgarraban la carne del Cazador. Cuando sintió que su corazón dejaba de latir, reprimió a la bestia a duras penas y retrocedió un poco. Lentamente, volvió a la realidad. El Cazador yacía muerto, en el suelo, en un charco de sangre. Fenris, abatido, no pudo evitar pensar que toda su vida había sido un cúmulo de sangre, muerte, dolor y tristeza. Sintiendo que la vida se apagaba dentro de su ser, se arrastró como pudo hasta el cuerpo de Ronna y se echó junto a ella. Logró arrancarse el puñal que el Cazador le había clavado en el costado y lo reconoció al instante: era la daga de plata de su padre.

Sonrió amargamente. Él mismo había enterrado aquella daga junto al cuerpo de Novan, pero parecía claro que el Cazador, siguiendo su rastro, había encontrado la tumba y la había excavado, tratando de averiguar, seguramente, si el cuerpo inhumado en ella pertenecía al elfo que iba rastreando.

Acudieron a su memoria las palabras de Novan: «... esa daga que algún día te matará», le había dicho. «Cuánta razón tenía», pensó Fenris. «Y también Fenlog, cuando anunció que hoy tenía una cita con mi destino. Pero él no era mi destino, sino el Cazador, y esta daga que lleva escritos mi origen y mi muerte».

A su alrededor, los hombres-lobo y las gentes de su clan habían logrado derrotar a los mercenarios, a costa de muchas bajas. Fuego, muerte, sangre y desolación. «Es la historia de mi vida», pensó Fenris. «Llevo la desgracia allá donde voy. Sin duda merezco morir». Incluso la bestia se sentía tan agotada y abatida que no pareció rebelarse ante estos amargos pensamientos. Con su último aliento, Fenris aulló a la luna llena. Aulló por Ronna, por Novan, por Log, por Shi-Mae y, probablemente, también por el Cazador.

Después se dejó caer junto al cuerpo de Ronna y cerró los ojos. Sintió que todavía palpitaba en ella un hálito de vida, pero no tenía fuerzas para levantarse de nuevo y tratar de salvarla. La voz de Novan seguía resonando en su mente, pero era cada vez más ininteligible. Fenris tardó un poco en darse cuenta de que aquello que estaba recordando eran las palabras de un hechizo. Casi sin darse cuenta, mientras su memoria seguía recordando, obsesivamente, aquel conjuro que había oído pronunciar alguna vez, su boca comenzó a repetir las palabras, rogando por un milagro que salvase la vida de Ronna.

Después, el dolor inundó todo su ser y Fenris perdió el sentido.

Despertó ya transformado en elfo, y miró a su alrededor, desorientado. Rua le estaba curando las heridas con cataplasmas de hierbas.

—¿Qué ha pasado?

—Hemos vencido —sonrió la anciana.

En un claro de un bosquecillo de coníferas se había reunido lo que quedaba de la Tribu del Lobo. Pálidos, cansados, hambrientos y heridos en muchos casos, los miembros del clan mostraban en sus rostros una expresión serena y aliviada. Había sido duro, pero todo había acabado ya y estaban listos para iniciar una nueva vida. Fenris descubrió entre ellos a algunos de los hombres-lobo de Fenlog, casi todos muy jóvenes.

—La bendición del Primero les ha sido retirada —dijo Rua al advertir su mirada—, pero ellos se han arrepentido de lo que hicieron y han pedido que se los acepte de nuevo en el clan.

—¿Y lo habéis hecho?

Rua se encogió de hombros.

—Te aceptamos a ti, ¿no?

Fenris sonrió, pero en seguida se puso serio de nuevo. Vaciló antes de atreverse a preguntar:

—¿Y Ronna? ¿Está...?

—No. Ha sobrevivido, y ahora duerme.

Fenris se sintió tan aliviado que no fue capaz de decir nada.

—Fue algo muy extraño —siguió diciendo Rua—, porque tanto ella como tú teníais heridas mortales, pero cuando llegamos a socorreros estaban casi cerradas, y el cuerpo de mi hija había expulsado, por sí solo, la flecha que lo había atravesado. La bendición del Primero os ha protegido.

Fenris sonrió, preguntándose si esa era la razón por la cual todavía estaban vivos. No podía olvidar que, aunque lo hubiesen aceptado en la tribu, en realidad él no estaba emparentado con ellos.

—Quiero verla —dijo.

Se levantó y tuvo que apoyarse en el tronco de un árbol, porque todavía se encontraba débil. Cojeando, siguió a Rua hasta el otro extremo del claro. Allí, tendida en el suelo, Ronna descansaba cubierta por un manto de pieles. Fenris se inclinó junto a ella y le acarició el pelo. La mujer abrió los ojos, lo vio y sonrió.

—Hola —dijo él suavemente—. ¿Cómo te encuentras?

—Me has salvado la vida —respondió ella en voz baja.

—No he sido yo...

—Sí, has sido tú. Me estaba muriendo, sentía que me marchaba para no volver, pero entonces apareciste tú y me tendiste la mano, y me trajiste... de vuelta.

—Solo fue un sueño.

—No lo fue —lo miró fijamente—. Realmente, ¿eres tú... Fenris, el Primero?

—Sabes que no. Pero ahora descansa, Ronna.

Ella sonrió y cerró los ojos de nuevo. Fenris la miró. El rostro de Ronna seguía pareciéndole muy hermoso, pero ni siquiera él podía ignorar la huella que el sufrimiento y la tristeza habían dejado en ella a lo largo de los últimos años. Y en ese mismo momento supo qué era lo que debía hacer.

Acarició su cabello nuevamente, se levantó y recorrió el improvisado campamento. Rasloc, con una aparatosa venda en la cabeza y apoyándose en una rama que hacía las veces de bastón, iba de un lado para otro, intentando poner orden en el lugar. «Será un buen líder», pensó Fenris, sonriendo con orgullo. Aquel valiente muchacho había sido para él como el hermano menor que nunca había tenido; lo conocía desde que era un bebé, pero sabía que ahora había llegado el momento de dejar que volase solo.

Al caer la tarde, se acercó de nuevo a Ronna, pero ella dormía y decidió que no quería despertarla. Depositó con cuidado el puñal de plata junto a ella.

—Si esta daga ha de matarme algún día, Ronna, quiero que la guardes tú —susurró—. Y quiero que seas feliz junto a un hombre que pueda vivir la vida contigo y curar las heridas de tu corazón.

Se incorporó, sonriendo con ternura, pero con un brillo de tristeza en la mirada.

—Hasta siempre, querida Ronna —murmuró—. Nunca te olvidaré, pero juro también que no volveré a amar a una mujer humana.

Porque había sido demasiado doloroso para ella, pensó. Porque Ronna le había entregado toda su vida, mientras que para él su relación había pasado en un suspiro.

Y no era justo. No habían puesto en juego las mismas cosas. Ronna le había dedicado toda su juventud y él ni siquiera había podido darle la familia que ella tanto deseaba.

«Pero aún estás a tiempo, Ronna», pensó.

Se levantó y se alejó hacia lo más profundo del bosque. Nadie le prestó atención porque todos tenían algo que hacer. «Mejor», se dijo Fenris. «Eso lo hará más fácil».

Cuando ya se había internado en la espesura, oyó una voz a su espalda.

—Te marchas, ¿verdad?

Se volvió. Era Rua.

—¿Cómo lo has sabido?

—Porque sé que quieres a mi hija. Y la abandonas para darle una oportunidad de ser feliz. ¿Crees que es lo correcto?

—No es lo que quiero —confesó Fenris—, pero sé que es lo que debo hacer.

La anciana asintió gravemente.

—Cuenta la leyenda —dijo entonces— que, en tiempos de necesidad, Fenris vino y nos salvó de los lobos. Y después se fue sin despedirse, pero nos entregó su bendición y nos hermanó con los animales que antes habían sido nuestros enemigos. ¿Recuerdas la historia, muchacho?

—Eso pasó hace mucho tiempo.

—Pero la historia vuelve a repetirse. Dentro de un par de generaciones, la Tribu del Lobo recordará tu nombre y te convertirás en una leyenda.

Fenris inclinó la cabeza y sonrió con pesar, pero no dijo nada. Entonces Rua le tendió algo.

—Toma. Era de ese hombre. No sé qué es, pero quizá signifique algo para ti.

Fenris lo cogió. Era un pergamino.

—Tal vez. Muchas gracias, Rua.

—Buen viaje, Fenris. Y que los lobos aúllen por ti las noches de luna llena.

La anciana desapareció en la oscuridad del bosque. Fenris se guardó el pergamino sin mirarlo y prosiguió su camino.

No se detuvo hasta que estuvo muy lejos. Sospechaba que Ronna y Rasloc saldrían en su busca y no quería volver a encontrarse con ellos; sobre todo, no quería volver a mirar a Ronna a los ojos, porque sabía que, si lo hacía, no sería capaz de abandonarla de nuevo.

Una noche juzgó que podía permitirse encender un fuego y descansar unas cuantas horas más. Entonces, sentado junto a la hoguera, desenrolló el pergamino y le echó un vistazo.

Era el contrato del Cazador. El documento estaba ya viejo y ajado, pero el escudo de la Casa del Río seguía allí, y también se leía claramente la descripción del licántropo que había de matar, un joven elfo de ojos ambarinos y cabello de color de cobre, cuyo nombre era An–Kris de los Robles, o Ankris del Paso del Sur.

Fenris respiró hondo y sintió un nudo en la garganta.

La firma que había estampada al pie del pergamino no era la de Shi-Mae, sino la de su padre, Shi-Yun, Duque de la Casa del Río.

Sonriendo, Fenris acercó el documento al fuego y dejó que lo devoraran las llamas. Y, mientras aquel último vínculo con su pasado desaparecía entre el fuego, el elfo-lobo alzó la cabeza, miró a las estrellas y aulló.

No sabía si aullaba a la luna, a las estrellas o esperando que hubiese alguien en alguna parte que pudiese escucharlo y entenderlo, pero sí sabía que, si seguía vivo a pesar de todo, era porque todavía no había encontrado las respuestas que buscaba y su destino lo aguardaba en otra parte, tal vez muy lejos de allí, para, quizá, revelarle el secreto y la razón de su existencia.

EPÍLOGO

—NO ME HA VUELTO A PASAR —concluyó Fenris.

—¿El qué? —preguntó el hombre de la túnica gris, como si despertase de un sueño.

—Eso de poder despertar mi mente racional las noches de luna llena. No sé cómo lo logré la noche en que murió Fenlog, pero no ha vuelto a suceder. Han pasado dos años desde entonces y sigo siendo una bestia asesina. Rondo casi siempre por parajes deshabitados, pero no puedo evitar que la bestia aproveche las noches de luna llena para buscar presas humanas.

El desconocido se rió suavemente desde las profundidades de su capucha.

—¿Qué te hace tanta gracia? —gruñó el elfo, frunciendo el ceño.

—Tú, querido amigo.

—Ya te he dicho que no soy tu amigo. Ya conoces las razones por las que no confío en vosotros, los magos.

—Eso también tiene su gracia, Fenris. Porque... verás... resulta que tú eres uno de nosotros.

Fenris sacudió la cabeza.

—Qué tontería. He estado rodeado de magos casi toda mi vida. Me lo habrían dicho.

—Has dedicado casi todas tus energías a luchar contra la bestia que hay en ti y no has permitido que el don se desarrolle en tu interior. Pero lo tienes, no me cabe duda. Estoy convencido de que ese tal Novan se dio cuenta también. Si no te lo dijo fue porque quería tenerte controlado. Pero, si todo lo que me has contado es cierto, hubo alguien que te lo reveló indirectamente y tú no entendiste sus palabras.

Fenris reflexionó en silencio. Finalmente dijo, comprendiendo:

—La Señora de la Torre.

—La Señora de la Torre —asintió el mago, y su voz sonó como el amenazador siseo de una serpiente—. Te dijo que había dos razones por las cuales eras especial. Te invitó a acudir a su Escuela, donde sin duda te habrías convertido en aprendiz bajo su tutela.

—No. No, eso no es verdad. Yo no soy un mago. Si fuera capaz de obrar los prodigios que he visto hacer a los de tu clase, mi vida habría sido completamente diferente.

—¿Crees que no has obrado prodigios? Entraste en secreto en la Escuela del Bosque Dorado. Nadie que no tuviese un talento natural para la magia habría sobrevivido al hechizo que protege ese lugar. Por otro lado, la noche en que mataste al Cazador fuiste capaz de reproducir dos conjuros que habías oído pronunciar mucho tiempo atrás. Uno de ellos era el que mantenía despierta tu mente de elfo durante la transformación. El otro... un hechizo de curación muy avanzado que salvó tu vida y la de tu compañera. Y créeme, Fenris, cualquiera podría aprender las palabras de un hechizo, pero solo los auténticos magos serían capaces de hacerles cobrar vida.

—Me da igual —dijo el elfo finalmente—. No quiero ser un mago. Los magos no traen nada bueno.

—¿De veras? ¿No quieres aprender magia... y dejar de ser un licántropo?

—Eso no es posible. Sé que puedo despertar mi conciencia racional, pero seguiría sin poder controlar a la bestia.

—No hablo de tu mente, sino de tu cuerpo. De dejar de transformarte. Como bien sabes, porque te lo dijeron una vez, hay conjuros anti-licantropía, pero para que funcionen bien es necesario que se ejecuten en un lugar de mucho poder.

—Pero no existe ese sitio. El Archimago dijo que ni siquiera la Escuela del Bosque Dorado...

—Oh, sí que existe, querido amigo, solo que ya no es un lugar muy agradable y tampoco es sencillo llegar hasta él. Pero una vez fue una famosa Escuela de Alta Hechicería, y la magia que la alimentaba sigue allí todavía.

Fenris lo miró fijamente, empezando a comprender.

—¿Quieres decir...?

—La Torre —asintió el mago.

—Pero es un lugar maldito y abandonado. Tiene sus propios guardianes, guardianes poderosos cuya fuerza está alimentada por el odio de una maldición que los hace invulnerables. Lo sé porque los he visto y he oído su mensaje.

—Sí, pero esos guardianes encantados son lobos, y estoy convencido de que, con tu ayuda, sería posible llegar hasta allí. Este es el trato que te propongo: tú me llevas hasta la Torre y te comprometes a mantenerla a salvo de los lobos. Y yo, a cambio, te adiestraré en la magia y, con el poder de la Torre, fortaleceré el conjuro anti-licantropía para que no vuelvas a transformarte las noches de luna llena mientras estés allí.

—Suena demasiado perfecto —murmuró Fenris—. ¿Dónde está el truco?

—No lo hay. No voy a ocultártelo: hago todo esto únicamente porque me favorece. Pero también te favorece a ti, y eso es lo que hace que este tipo de pactos funcionen. Si yo te traicionase de alguna manera, tú, que tienes poder sobre los lobos, dejarías que ellos acabasen conmigo. Si tú me traicionases, yo retiraría el conjuro anti-licantropía y volverías a convertirte en un lobo las noches de luna llena.

—¿Qué pasará cuando yo mismo aprenda cómo hacer el conjuro?

El mago sonrió.

—¿Qué te hace pensar que te lo voy a enseñar?

—Comprendo. Me tendrías en tu poder.

—Pero yo también estaría a tu merced si realmente puedes controlar a esos lobos. También yo sé lo que es la traición y, créeme, no me gusta confiar mi suerte a cosas tan abstractas como la amistad, el honor o la misericordia. Prefiero saber que los dos cumpliremos lo pactado porque cada uno de nosotros sujeta la soga en torno al cuello del otro. Si uno tira, moriremos los dos.

—Estaría atrapado en la Torre.

—Pero no volverías a matar a nadie.

Fenris calló, confuso. Al cabo de unos momentos levantó la cabeza para mirar al hechicero:

—¿Por qué quieres ir a la Torre?

—Estudié allí hace mucho tiempo. Tras la muerte de Aonia, no queda ya nadie para recoger su legado. Me propongo recuperar todo lo que allí se guarda y convertir la Torre, de nuevo, en una Escuela de Alta Hechicería activa para acoger a los jóvenes dotados como tú, mi querido amigo.

—Ya te he dicho que no soy tu amigo.

—Lo sé. Es solo una manera de hablar.

—Pero ese lugar está maldito. Los lobos no permitirán que nadie se acerque.

—Por eso te necesito a ti. Y tú también me necesitas a mí. ¿Lo ves? Es lo que más me gusta de todo este asunto.

—¿Cómo voy a confiar en ti?

—¿Quién ha hablado de confianza? Te he propuesto un trato que nos beneficia a ambos. Si alguno de los dos lo rompe, se acabaron los beneficios... para ambos.

—Simple y brutal..., pero efectivo —murmuró Fenris—. Está bien: acepto.

El mago sonrió.

—No te arrepentirás.

—Bien, y... ahora que vamos a ser socios..., ¿cómo se supone que debo llamarte?

—Por supuesto, muchacho, debes llamarme Maestro y tratarme con el debido respeto —respondió el hechicero—. Tú, que has tenido una relación tan estrecha con una estudiante de hechicería, deberías saberlo.

—Oh. Sí —gruñó Fenris, recordando que, efectivamente, había una jerarquía muy rígida en la Escuela del Bosque Dorado—. Lo había olvidado.

El Maestro sonrió de nuevo.

—Bien. Tú me aceptas como Maestro, yo te acepto como aprendiz. El pacto está sellado. Ahora solo queda un pequeño detalle. Mírame.

Fenris obedeció casi mecánicamente. La mirada de los ojos grises del Maestro se clavó en los ojos color ámbar del elfo, que sintió inmediatamente como si algo hubiese invadido su conciencia.

—¿Qué estás haciendo? —jadeó, sin poder, no obstante, apartar los ojos de la mirada hipnótica del mago.

—Rastrear tus recuerdos. Créeme, será mejor para los dos. Para nuestra… alianza futura.

Fenris trató de resistirse, pero no lo logró. La conciencia del mago exploraba todos los rincones de su memoria, seleccionando y eliminando recuerdos. El elfo intentó gritar, pero no fue capaz.

Cuando, finalmente, el Maestro apartó su mirada de él, Fenris jadeó y cerró los ojos un momento. Los abrió casi en seguida, sacudió la cabeza y frunció el ceño, confuso.

—¿Qué ha sucedido? —preguntó.

—Te has quedado dormido —respondió el mago amablemente—. Dime una cosa, Fenris…, ¿has oído alguna vez mencionar a alguien llamado Aonia?

—¿Aonia? —Fenris frunció el ceño de nuevo, tratando de pensar—. No. No me suena de nada. ¿Quién es?

El Maestro asintió.

—Eso pensaba. No te preocupes, no es importante.

Apenas dos días más tarde, los dos se adentraron por el camino que recorría el Valle de los Lobos. La maldición que pesaba sobre la Torre no permitía al mago teletransportarse a su interior, al menos no antes de que hubiese tomado posesión de ella, pero sí logró trasladarlos a ambos al pueblo que se abría a la entrada del valle. Los lugareños los miraron con temor y desconfianza, pero no se atrevieron a negarles nada. Cuando, al caer la tarde, los lobos comenzaron a aullar desde las montañas, los dos se pusieron de nuevo en camino hacia la Torre.

No hablaron durante todo el trayecto. No había nada que decir.

Finalmente, la Torre apareció ante sus ojos como una inmensa aguja que se elevaba hacia los cielos, pero cuyos cimientos estaban sólidamente asentados en la tierra de la que extraía su poder. Parecía oscura y siniestra a la luz de la luna, pero para Fenris fue, más que nunca, un símbolo de esperanza.

Un grupo de lobos les cerró el paso, gruñendo. El Maestro pronunció unas palabras en lenguaje arcano y una chispa brotó de su mano derecha para estrellarse contra los primeros lobos que, sin embargo, siguieron avanzando.

—¿Lo ves? —suspiró el mago—. No les afecta la magia. Ni siquiera podría detenerlos con un puñal de plata —añadió, sonriendo.

Fenris no le vio la gracia, pero no dijo nada. Avanzó hacia los lobos y los miró fijamente.

Uno de ellos gruñó, enseñando los dientes. Fenris le respondió, a su vez, con un gruñido, y sus ojos ambarinos brillaron amenazadoramente. El lobo retrocedió.

Fenris siguió avanzando, sereno y seguro, hacia la entrada de la Torre.

Los lobos se apartaron a su paso. Con una sonrisa de triunfo, el Maestro lo siguió.

Y, cuando los dos entraron en el edificio, Fenris sintió que la Torre lo acogía en su seno como una madre, y supo que sería su hogar durante mucho, mucho tiempo.